The Acoustic
inger Songwriter
Collection

First published by Faber Music Ltd in 2006
3 Queen Square, London WC1N 3AU

Designed by Dominic Brookman & Lydia Merrills-Ashcroft
Arranged by Frank Moon
Engraved by Bassline
Compiled by Lucy Holliday
Edited by Lucy Holliday & Olly Weeks

Printed in England by Caligraving Ltd

ISBN 0-571-52594-6

BAD DAY

Words and Music by Daniel Powter

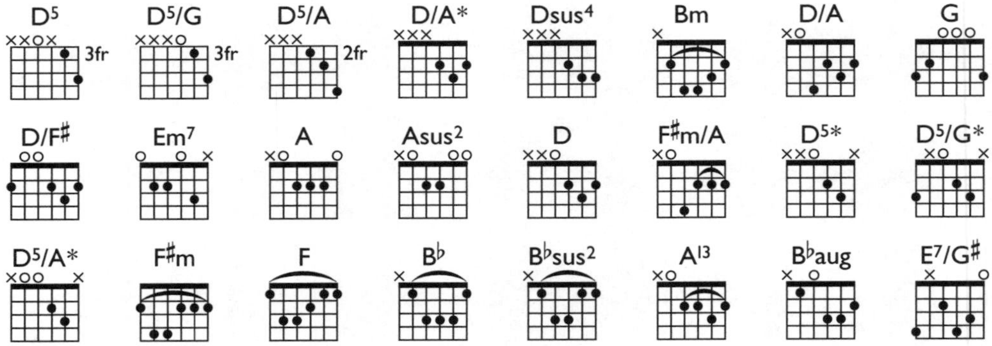

Capo 1st fret

♩ = 70

Intro

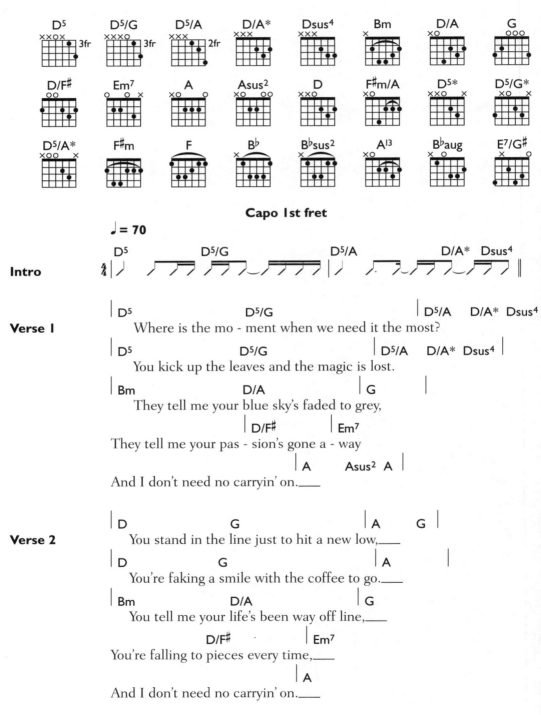

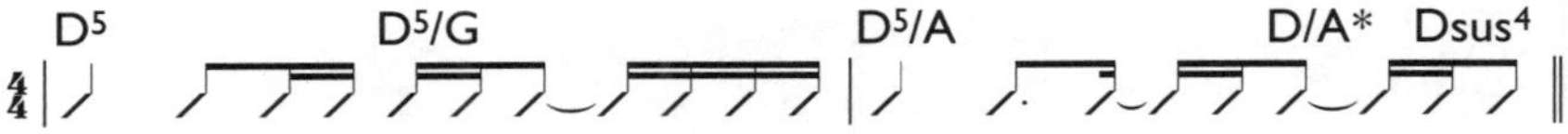

Verse 1

| D5 D5/G | D5/A D/A* Dsus4 |
Where is the mo - ment when we need it the most?

| D5 D5/G | D5/A D/A* Dsus4 |
You kick up the leaves and the magic is lost.

| Bm D/A | G |
They tell me your blue sky's faded to grey,

| D/F# | Em7
They tell me your pas - sion's gone a - way

| A Asus2 A |
And I don't need no carryin' on.___

Verse 2

| D G | A G |
You stand in the line just to hit a new low,___

| D G | A |
You're faking a smile with the coffee to go.___

| Bm D/A | G
You tell me your life's been way off line,___

D/F# | Em7
You're falling to pieces every time,___

| A
And I don't need no carryin' on.___

Chorus 1

N.C. | D
'Cos you had a bad day,

G
You're taking one down,

| Em^7 A
You sing a sad song just to turn it a - round,

| D
You say you don't know,

G
You tell me don't lie,

| Em^7 A
You work at a smile and you go for a ride,___

| Bm
You had a bad day,

F♯m/A
The camera don't lie,

| G D/F♯
You're coming back down and you really don't mind,

| Em^7
You had a bad day,

A | D^5* D^5/G* |
You had a bad day.

Link

D^5/A* A G D^5* D^5/G* D^5/A* A

Verse 3

| Bm F♯m/A | G
Well you need a blue sky holiday,___

D/F♯ | Em^7
The point is they laugh at what you say.___

| A
And I don't need no carryin' on.

Chorus 2

N.C. | D
You had a bad day,

| G
You're taking one down,

| Em7 A
You sing a sad song just to turn it a - round,

| D
You say you don't know,

G
You tell me don't lie,

| Em7 A
You work at a smile and you go for a ride,___

| Bm
You had a bad day,

F♯m/A
The camera don't lie,

| G D/F♯
You're coming back down and you really don't mind,

| Em7 |
You had a bad day.

| Em7 F♯m |
Oh... Holiday...

Bridge

| F
Sometimes the system goes on the blink

| B♭ (B♭sus2 B♭) |
And the whole thing turns out wrong.

| F
You might not make it back and you know

| B♭
That you could be well, oh that strong,

(B♭sus2 B♭) | Asus13 | A (Asus2 A) |
And I'm not wrong yeah.___

Verse 4

| D^5 D^5/G | D^5/A*
So where is the passion when you need it the most?

A | D^5
Oh you and I,___

D^5/G | A
You kick up the leaves and the magic is lost...

Chorus 3

N.C. | D
'Cos you had a bad day

G
You're taking one down

| Em^7 A
You sing a sad song just to turn it a - round,

| D
You say you don't know

G
You tell me don't lie

| Em^7 A
You work at a smile and you go for a ride,___

| Bm
You had a bad day

B$^\flat$aug
You've seen what you like

| D/A E^7/G$^\sharp$
And how does it feel for one more time,

| G
You had a bad day

A | D G | Em^7
You had a bad day oh,___

A | D G | Em^7
Had a bad day oh,___

A | D G | Em^7
Had a bad day oh,___

A |: D G | Em^7 A :|
Had a bad day oh... *fade out*

THE BLOWER'S DAUGHTER

Words and Music by Damien Rice

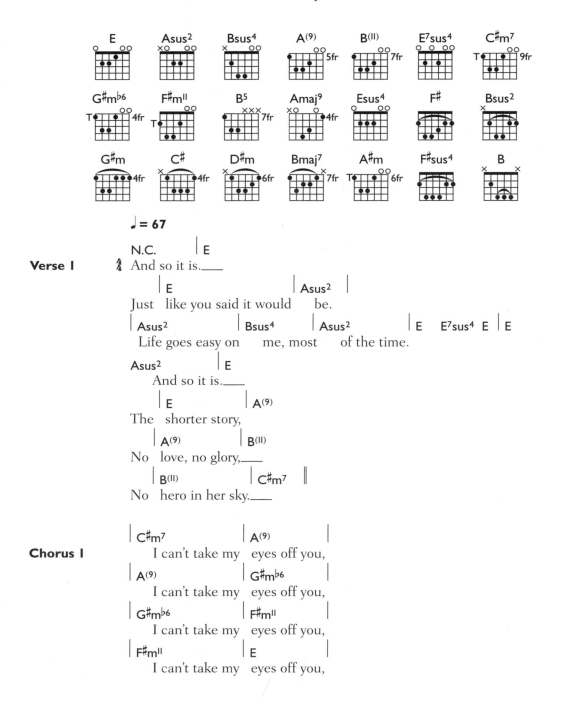

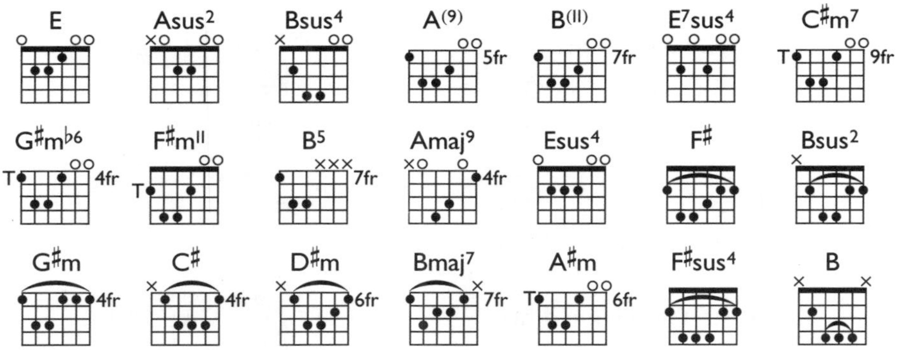

♩ = 67

Verse 1

4/4
N.C. | E
And so it is.__

| E | Asus2 |
Just like you said it would be.

| Asus2 | Bsus4 | Asus2 | E E7sus4 E | E
Life goes easy on me, most of the time.

Asus2 | E
And so it is.__

| E | A(9)
The shorter story,

| A(9) | B(11)
No love, no glory,__

| B(11) | C#m7 ||
No hero in her sky.__

Chorus 1

| C#m7 | A(9) |
I can't take my eyes off you,

| A(9) | G#mb6 |
I can't take my eyes off you,

| G#mb6 | F#m11 |
I can't take my eyes off you,

| F#m11 | E |
I can't take my eyes off you,

cont.

| F♯m11 | E |
I can't take my eyes off you,
| E | A(9) |
I can't take my eyes off you,
| B5 | A(9) | A(9)
I can't take my eyes...

Verse 2

B(11) ‖ E
And so it is,___
| E | Amaj9
Just like you said it should be.
| Amaj9 | B(11)
We'll both forget the breeze,
| A(9) | E Esus4 | E
Most of the time.___
| E |
And so it is.___
| E | A(9)
The colder water,
| A(9) | B(11)
The blower's daughter,___
| B(11) | C♯m7 ‖
The pupil in de - nial.___

Chorus 2

| C♯m7 | A(9) |
I can't take my eyes off you,
| A(9) | G♯m♭6 |
I can't take my eyes off you,
| G♯m♭6 | F♯m11 |
I can't take my eyes off you,
| F♯m11 | E |
I can't take my eyes off you,
| E | A(9) |
I can't take my eyes off you,
| B5 | A(9) | A(9) B(11) ‖
I can't take my eye, eye, eye, eye, eye...

Bridge

| F♯ | F♯ | Bsus2 |
Ooh did I say that I loathe you?

| Bsus2 | G♯m | C♯ | D♯m ‖
Did I say that I want to leave it all be - hind?

Chorus 3

| D♯m | Bmaj7 |
I can't take my mind off you,

| Bmaj7 | A♯m |
I can't take my mind off you,

| A♯m | G♯m♭6 |
I can't take my mind off you,

| G♯m♭6 | F♯sus4 |
I can't take my mind off you,

| F♯sus4 | B |
I can't take my mind off you,

| C♯ | B |
I can't take my mind...

| B |
My mind...

| B |
My mind...

| B N.C. | N.C. ‖
Till I find somebody (new...)

BREAKDOWN

Words and Music by Daniel Nakamura, Paul Huston and Jack Johnson

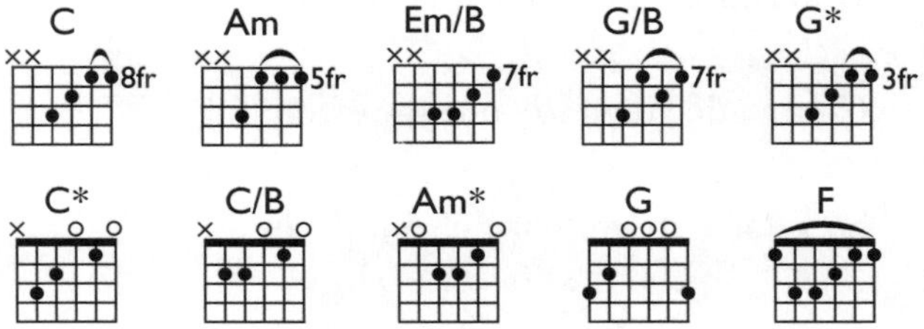

♩ = 150 **(Swung quavers)**

Intro

Verse 1

| C Am | Em/B |
I hope this old train breaks down,
| Am | G/B |
Then I could take a walk around
| C Am | Em/B |
See what there is to see,
| Am | G/B
Time is just a melody
| C Am | Em/B
With all the people in the street walking fast as their feet
| Am | G*.
Can take them, I just roll through town___
| C Am | Em/B
And though my window's got a view, well the frame I'm looking through
| Am | G* ||
Seems to have no concern for now. So for now I...

Chorus 1

| C* C/B | Am* G |
I need this old train to breakdown
| C* | | C/B | Am* | | G |
Oh please just let me please breakdown.

Link

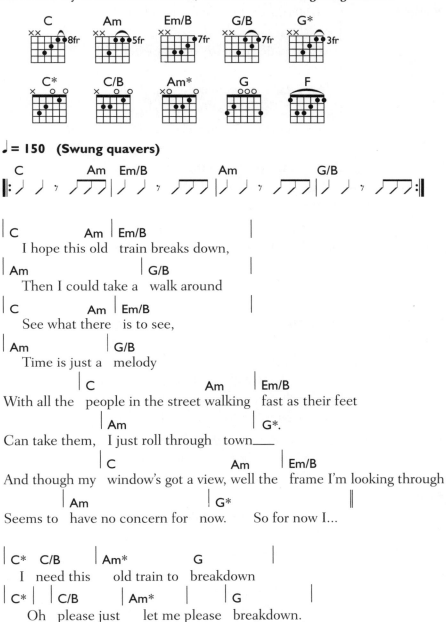

Verse 2

| C | Em/B |
Well this engine screams out loud,
| Am | G* |
Centipede going to crawl westbound
| C | Em/B |
So I don't even make a sound 'cos
| Am | G*
It's going to sting me when I leave this town
| C Am | Em/B
And all the people in the street that I'll never get to meet
| Am | G*
If these tracks don't bend some - how
| C Am | Em/B | Am | G*
And I got no time that I got to get to where I don't need to be, so I...

Chorus 2

| C* | C/B | Am* | G |
I need this here old train to breakdown,
| C* | C/B | Am* | G |
Oh please just let me please breakdown.
| C* | C/B | Am* | G |
I need this here old train to breakdown,
| C* | C/B | Am* | G ||
Oh please just let me please breakdown.

Bridge

| C* | G F | C* |
I want to break on down
| G F | C* |
But I can't stop now
| G F | C* |
Let me break on down.

Verse 3

| G F | C | Em/B
But you can't stop nothing if you got no control

| Am | G/B
Of the thoughts in your mind that you kept and you know

| C | Em/B
You don't know nothing but you don't need to know

| Am | G*
The wisdom's in the trees not the glass windows.

| C | Em/B
You can't stop wishing if you don't let go

| Am | G*
Of the things that you find and you lose and you know

| C | Em/B
You keep on rolling, put the moment on hold

| Am | G* ||
The frame's too bright, so put the blinds down low.

Chorus 3 *As Chorus 2*

Outro

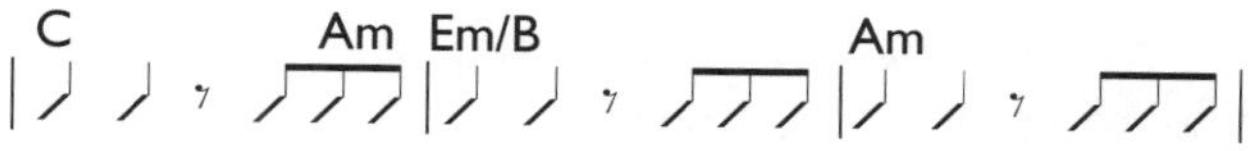

| G* | C | Em/B | Am |
I want to break on down,

| G* | C | Em/B | Am | G* |
But I can't stop now.

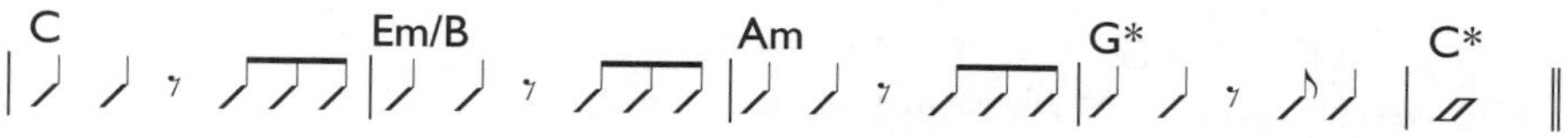

BRIGHT SMILE

Words and Music by Joshua Ritter

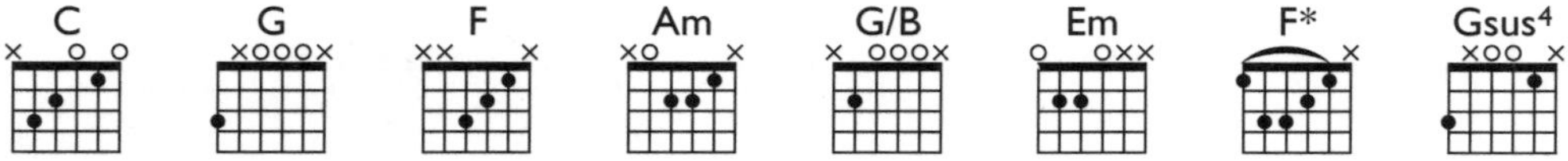

Capo 3rd fret

♩= 114

Intro

4/4 |: C G | C G | C G | F G :|

fingerpicking

Verse 1

| C G | C G |
Now my work is done,
| C G | C G |
I feel I'm owed some joy___
| C G | F G |
Oh Imo - gene and Abe - lard
| C G | C G |
I'm your homeward boy.
| C G | C G |
But there's an - other one___
| C G | C G |
Who brings me to your door
| C G | F G |
And the boat she weaved from the tidal reeds
| C G | C G ||
Was always tied to shore.

Chorus 1

| C | G | F C |
With bright smiles and dark eyes,___
| C G | F G |
Bright smile, dark eyes,___
| C G |
Everywhere I went, oh,___
| F G |
I was always looking for your
| C G | F G ||
Bright smile, dark eyes.___

Verse 2

| C G | C G |
I'm looking for some peace
| C G | C G |
But it's so hard to find,
| C G | F G |
Calamity Jane's and the Steamboat Casanova's
| C G | C G |
And Darl - ing Clemen - tine's.
| C G | C G |
If she's your only one
| C G | C G |
Then she is also mine,___
| C G | F G
Just pin your heartbeat up a - gainst my heartbeat
| C G | C G |
And you'll see how well we rhyme.

Chorus 2 *As Chorus 1*

Bridge

| Am G/B | C Em |
Man is only half himself___
| F* | G
The other half is a bright thing,
Em | Am G/B | C Em |
He tumbles on by luck or grace___
| F* | G | G |
For man is ever a blind thing, oh.

Chorus 3

| C G | F* G |
But bright smiles and dark eyes,___

| C Gsus4 | F* Gsus4 |
Bright smile, dark eyes,___

| C Gsus4 |
Everywhere I went, oh,___

| F* Gsus4 |
I was always looking for your

| C Gsus4 |
Bright smile, dark eyes,

| F* Gsus4 | C Gsus4 |
Smile, dark eyes,

| F* Gsus4 | C Gsus4 |
Dark eyes,

| F* Gsus4 | C Gsus4 | F* Gsus4 |
Dark eyes...

Outro

C Gsus4 F* Gsus4 C

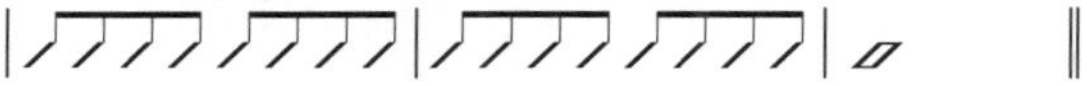

CASIMIR PULASKI DAY

Words and Music by Sufjan Stevens

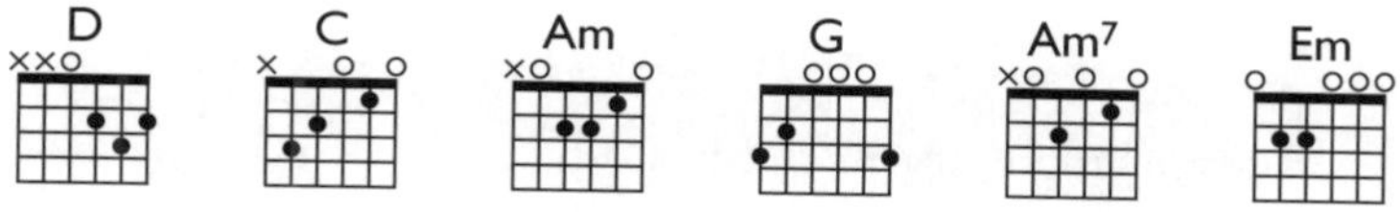

♩= 134 **Capo 1st fret**

Intro

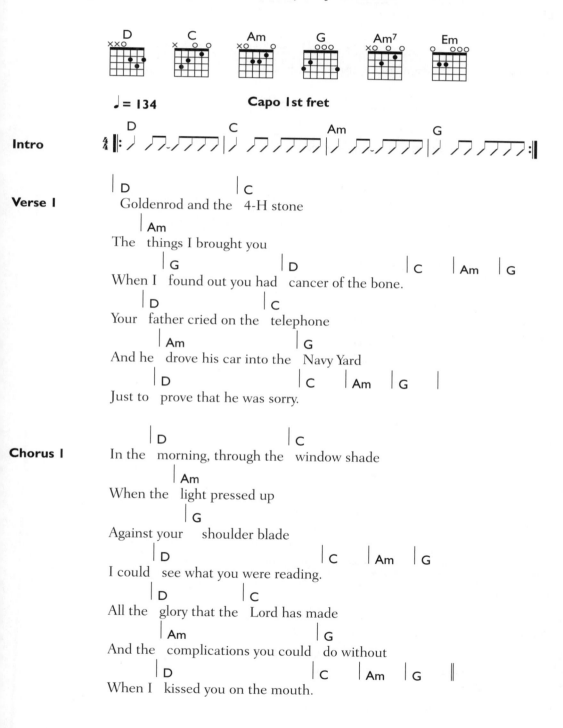

Verse 1

| D | C
Goldenrod and the 4-H stone
| Am
The things I brought you
| G | D | C | Am | G
When I found out you had cancer of the bone.
| D | C
Your father cried on the telephone
| Am | G
And he drove his car into the Navy Yard
| D | C | Am | G |
Just to prove that he was sorry.

Chorus 1

| D | C
In the morning, through the window shade
| Am
When the light pressed up
| G
Against your shoulder blade
| D | C | Am | G
I could see what you were reading.
| D | C
All the glory that the Lord has made
| Am | G
And the complications you could do without
| D | C | Am | G ||
When I kissed you on the mouth.

Link 1

Verse 2

| D | C
Tuesday night at the bible study
| Am | G
We lift our hands and pray over your body
| D | C | Am | G |
But nothing ever happens.
| D | C
I remember at Michael's house
| Am | G
In the living room, when you kissed my neck
| D | C | Am | G |
And I almost touched your blouse.

Chorus 2

| D | C
In the morning, at the top of the stairs
| Am | G
When your father found out what we did that night
| D | C | Am | G
And you told me you were scared.
| D | C
All the glory when you ran outside
| Am | G
With your shirt tucked in and your shoes untied
| D | C | Am | G |
And you told me not to follow you.

Link 2

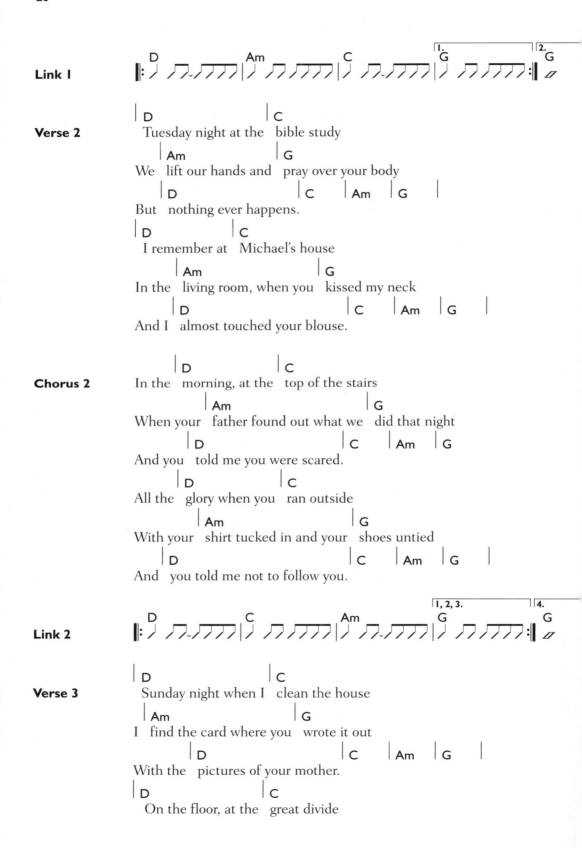

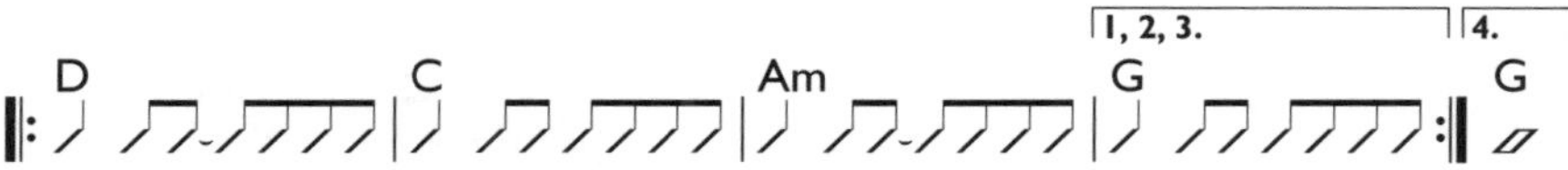

Verse 3

| D | C
Sunday night when I clean the house
| Am | G
I find the card where you wrote it out
| D | C | Am | G |
With the pictures of your mother.
| D | C
On the floor, at the great divide

cont.

| Am | G
With my shirt tucked in and my shoes untied
| D | C | Am | G
I am crying in the bathroom.

Chorus 3

| D | C
In the morning when you finally go
| Am | G
And the nurse runs in with her head hung low
| D | C | Am | G
And the cardinal hits the window.
| D | C
In the morning, in the winter shade,
| Am | G
On the first of March, on the holiday
| D | C | Am | G
I thought I saw you breathing.

Chorus 4

| D | C
All the glory that the Lord has made
| Am | G
And the complications when I see His face
| D | C | Am | G
In the morning in the window.
| D | C
All the glory when He took our place
| Am | G
But He took my shoulders, and He shook my face,
| D | C | Am | G ||
And He takes and He takes and He takes.

Outro

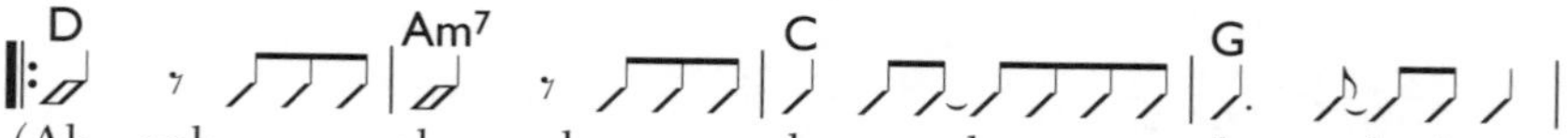

(Ah, ooh, ah, ooh, ah, ooh, ah, ooh...)

with banjo tune picked

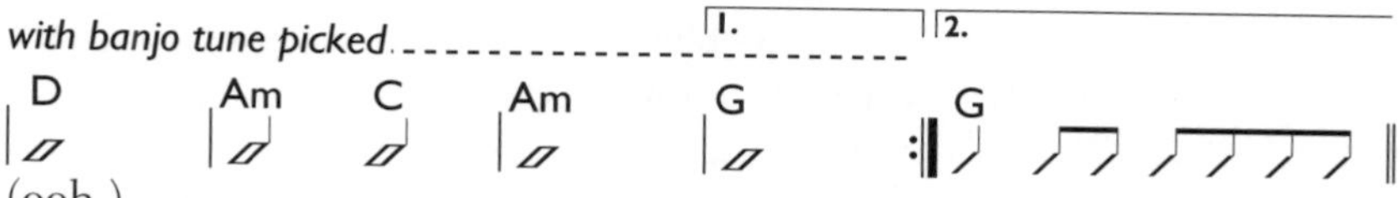

(ooh.)

free rhythm

CONCEIVED

Words and Music by Beth Orton

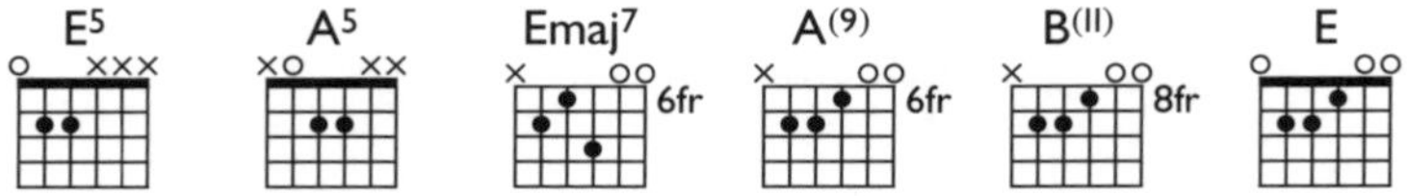

Intro

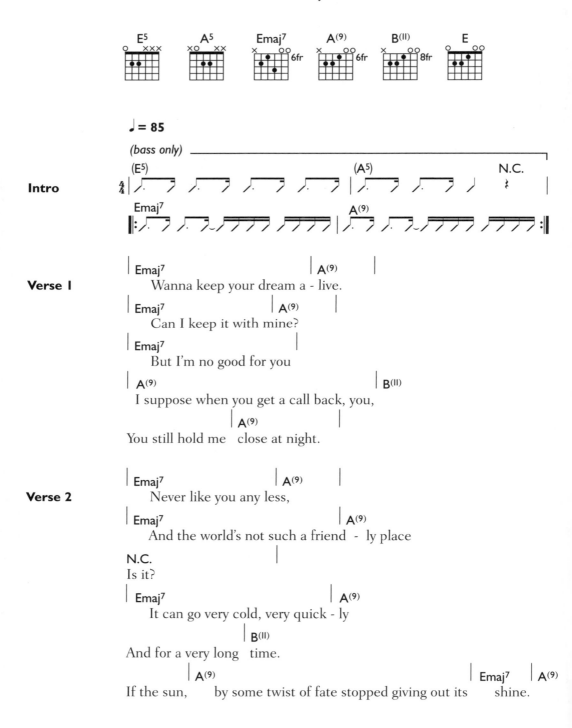

Verse 1

| Emaj7 | A(9) |
Wanna keep your dream a - live.

| Emaj7 | A(9) |
Can I keep it with mine?

| Emaj7 |
But I'm no good for you

| A(9) | B(11)
I suppose when you get a call back, you,

| A(9) |
You still hold me close at night.

Verse 2

| Emaj7 | A(9) |
Never like you any less,

| Emaj7 | A(9)
And the world's not such a friend - ly place

N.C. |
Is it?

| Emaj7 | A(9)
It can go very cold, very quick - ly

| B(11)
And for a very long time.

| A(9) | Emaj7 | A(9)
If the sun, by some twist of fate stopped giving out its shine.

Chorus 1

| Emaj^7 | A$^{(9)}$ |
Some of the time the future comes right round to haunt me,
| Emaj^7 | A$^{(9)}$
Some of the time the future comes round just to see
| B$^{(11)}$
That all is as it could be
| A$^{(9)}$
Like it's there to re - mind me
| Emaj^7 | A$^{(9)}$ ||
We've got to wait___ and see.

Verse 3

| Emaj^7 | A$^{(9)}$ |
Didn't ask to be con - ceived
| Emaj^7 | A$^{(9)}$ |
In a loveless em - brace,
| Emaj^7 | A$^{(9)}$ |
Still we learn to be a warm sun
| Emaj^7 | A$^{(9)}$
Round a very cold galaxy,
| B$^{(11)}$
It's just like you said it could be,
| A$^{(9)}$ |
Oh it's like you said it would be.

Chorus 2

| Emaj^7 | A$^{(9)}$ |
Some of the time the future comes right round to haunt me,
| Emaj^7 | A$^{(9)}$
Some of the time the future comes round just to see
| B$^{(11)}$
That all is as it should be
| A$^{(9)}$
Like it's there to re - mind me
| Emaj^7 | A$^{(9)}$ |
We've got to let___ it be, yeah.

Link

Emaj7 | A(9)

Chorus 3

| Emaj7 | A(9) |
Some of the time the future comes right round to haunt me,

| Emaj7 | A(9)
Some of the time the future comes round just to see

| B(11)
That all is as it could be

| A(9)
Oh it's there to re - mind me

| Emaj7 | A(9)
We've got to wait and see.

| Emaj7 | A(9)
We've got to let___ it be yeah,

| Emaj7 | A(9) |
Wait and see, wait and see.

Outro

Emaj7 | A(9) | E

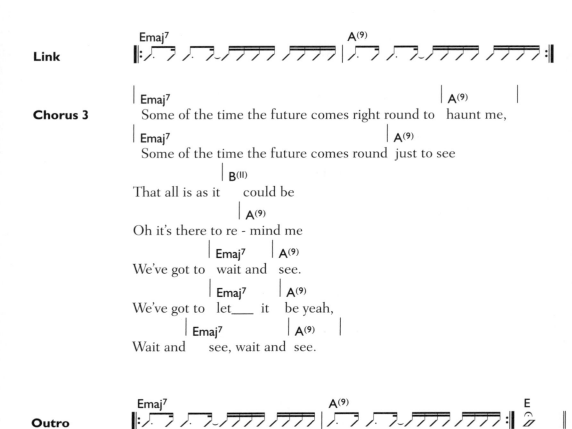

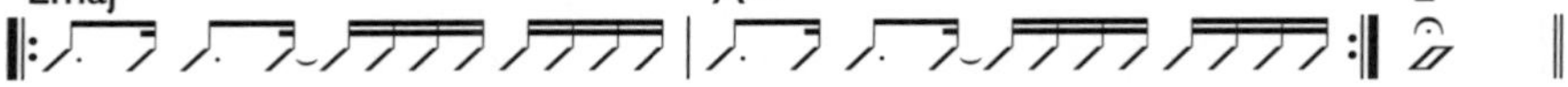

with ad lib. vocal

CROSS-EYED BEAR

Words and Music by Damien Rice

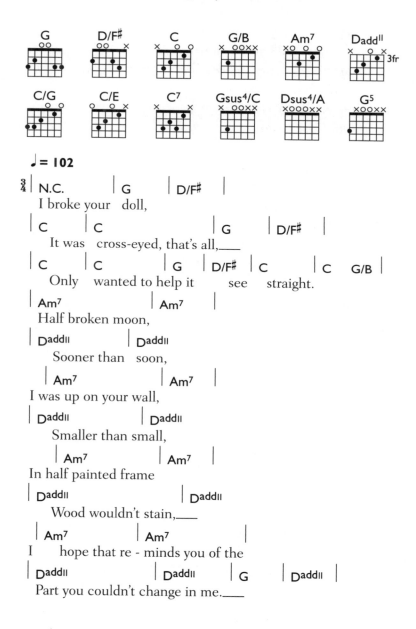

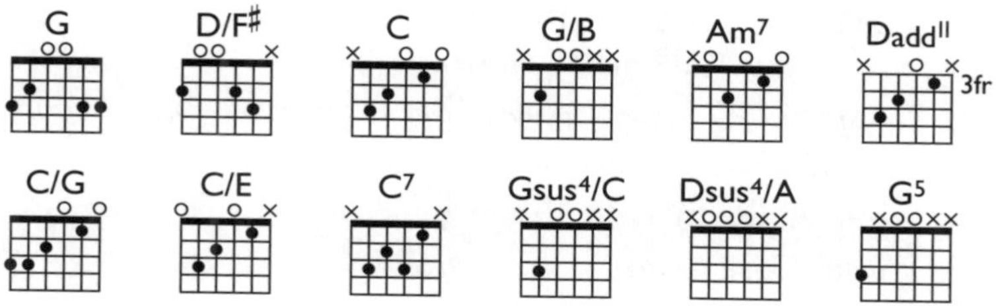

♩= 102

$\frac{3}{4}$ | N.C. | G | D/F♯ |

Verse 1

I broke your doll,

| C | C | G | D/F♯ |

It was cross-eyed, that's all,__

| C | C | G | D/F♯ | C | C G/B |

Only wanted to help it see straight.

| Am7 | Am7 |

Half broken moon,

| Dadd11 | Dadd11

Sooner than soon,

| Am7 | Am7 |

I was up on your wall,

| Dadd11 | Dadd11

Smaller than small,

| Am7 | Am7 |

In half painted frame

| Dadd11 | Dadd11

Wood wouldn't stain,__

| Am7 | Am7 |

I hope that re - minds you of the

| Dadd11 | Dadd11 | G | Dadd11 |

Part you couldn't change in me.__

Chorus 1

```
| C/G        | C/G      Dadd11 | G       | D/F#    |
     If you   push me I'll    fall,
| C/G        | C/G     Dadd11 | G       | D/F#    |
     If you   pull me I   drown,
| C/G          | C/G   Dadd11 | G    | D/F#  | C/G    | C/G
     If you're   gonna be      nail  -  ing me   down
  G/B  | Am7        | Am7       ||
I won't   rise again.
```

Verse 2

```
| Dadd11 | Dadd11            | G       | D/F#        |
             I scratched your   car,
| C/E          | C/E     Dadd11 | G      | D/F#         |
     Where a    bird left          a stain,___
| C/E        | C/E      Dadd11 | G      | D/F#  | C/E          | C/E   G/B |
     I only    wanted       to  help you___  see___  straight,
| Am7                  | Am7   |
  Half broken moon,___
| Dadd11              | Dadd11
     Sooner than    soon
         | Am7        | Am7     |
I was     up your wall,
| Dadd11             | Dadd11
     Smaller than    small,
  | Am7                    | Am7
In   a half painted frame___
              | Dadd11              | Dadd11
Where the wood wouldn't stain,
  | Am7          | Am7          |
I   hope that re - minds you of the
| Dadd11               | Dadd11    | G       | D/F#    |
  Part you couldn't change in me.___
```

Chorus 2

| C/G | C/G Dadd11 | G | D/F# |
'Cos if you push me I'll fall,

| C/G | C/G Dadd11 | G | D/F# |
If you pull me I drown

| C/G | C/G Dadd11 | G | D/F# | C/G | C/G
If you're gonna be nail - ing me down,

G/B | Am7 | Am7 |
I won't rise again,

| Dadd11 | Dadd11 | Am7 | Am7 | Dadd11 ||
I won't rise a - gain.

Outro

| Dadd11 | G | Dadd11 |
I'm not God, I'm not God,

| C | C Dadd11 | G | Dadd11 |
No, I'm not God, I'm not God,

| C | C | G | Dadd11 |
I might love you, but I'm not God.

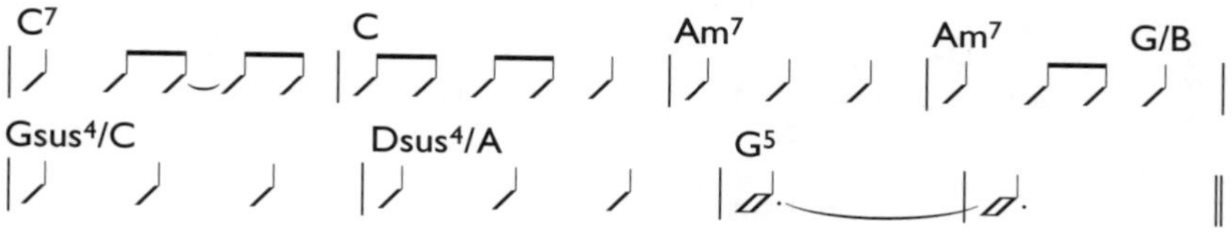

FAR AWAY

Words and Music by Martha Wainwright

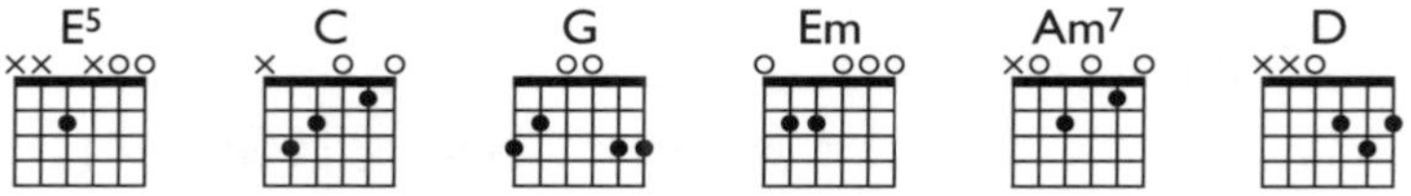

Tune guitar slightly sharp

Freely

Intro

| N.C.
Far away,

E5 ‖
In some lovely way I hear your call...

♩ = 65

Verse 1

4/4 | C | G |
Whatever happened to the mall?
| C | G |
Whatever happened to us all?___
| Em | G | Em |
I know that we've never met before,___
| Em |
But that was then
| G |
And now I need you more.___

Verse 2

| C | G |
___ Is someone here keeping the score
| C | G |
Is there only dying at your door?
| Am7 | D
Take me down off this cross___
| Em
Lay me down, down, down in the dust
| G | Em |
Woah love, take my hand across the crowd
| C | G |
I have been digging underground,
| C | G |
What-a remains has yet to be found.

cont.

| Am7 | D |
I have no children, I have no husband,
| Am7 | D
I have no reason to be alive
| C
Oh give me one.

Verse 3

| G
Green grass blades are all on fire,
| C
High on the crack that's in the wind
| Am7
From your window I see bars
| D
And the birds they sing and they sing and they sing,

And the dogs they bark and they bark
| Em | G |
And they bark and they bark.____

Verse 4

| C | G |
Whatever happened to the mall?
| C | G |
Whatever happened to us all?____
| Am7 | D
Annie had two young baby boys
| Em |
And Jimmy went crazy, crazy, crazy late last fall.____

G Em
| / / | ||

FOR TODAY I AM A BOY

Words and Music by Antony Hegarty

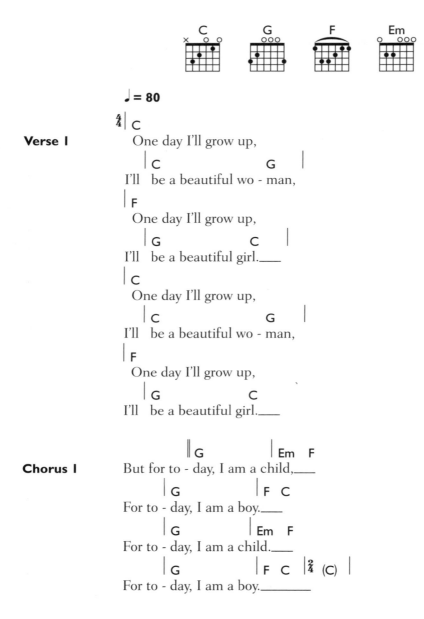

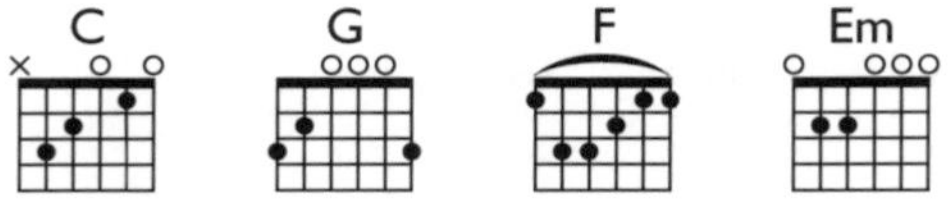

♩ = 80

Verse 1

4/4 | C
One day I'll grow up,
| C G |
I'll be a beautiful wo - man,
| F
One day I'll grow up,
| G C |
I'll be a beautiful girl.___
| C
One day I'll grow up,
| C G |
I'll be a beautiful wo - man,
| F
One day I'll grow up,
| G C
I'll be a beautiful girl.___

Chorus 1

|| G | Em F
But for to - day, I am a child,___
| G | F C
For to - day, I am a boy.___
| G | Em F
For to - day, I am a child.___
| G | F C | 2/4 (C) |
For to - day, I am a boy.______

Verse 2

4/4 | C
One day I'll grow up,
| C G |
I feel the power in me,
| F
One day I'll grow up,
| G C |
Of this I'm sure.___
| C |
One day I'll grow up,
| C G |
No womb within me
| F
One day I'll grow up,
| G C |
Feeling full and pure.___

Chorus 2

As Chorus 1

Outro

| Em | F G |
For today, I am a child,
| F | F C |
For today, I am a boy.
| Em | F G |
For today, I am a child,
| F | F C |
For today, I am a boy.
| Em | F G |
For today, I am a child,
| F | F C |
For today, I am a boy.
| Em | F G |
For today, I am a child.
| F | F C | (C) ||
For today, I am a boy.

GAY MESSIAH

Words and Music by Rufus Wainwright

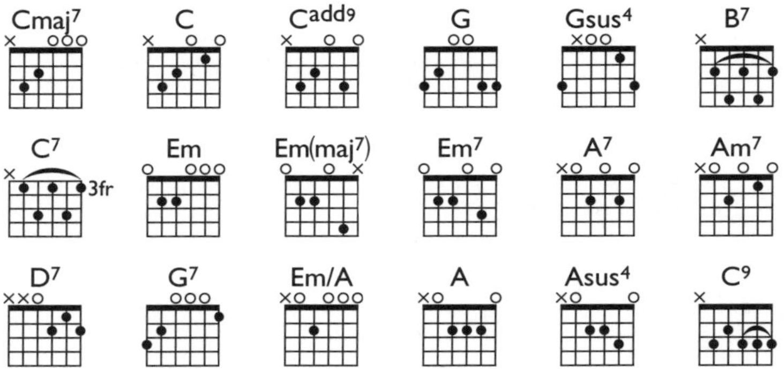

♪= 138

Intro

Verse 1

| Cmaj7 C | Cadd9 C |
He will then be reborn,______

| Cmaj7 Cadd9 | G Gsus4 |
From nineteen seventies_____ porn,_____

| Cmaj7 C | Cadd9 C |
Wearing tube - socks with style,______

| Cmaj7 Cadd9 | G Gsus4 |
And such an in - nocent smile._____

Chorus 1

| B7 C7 | G |
Better pray for your sins,

| B7 C7 | G |
Better pray for your sins

| Em Em(maj7) | Em7 A7 | Am7 D7 | G ||
'Cos the gay Mes - siah's____ com - ing.

Verse 2

| Cmaj7 C | Cadd9 C |
He will fall from the star

| Cmaj7 Cadd9 | G Gsus4 |
Studio fif - ty - four.

cont.

| Cmaj^7 C | C^{add9} C |
And appear on the sand

| Cmaj^7 C^{add9} | G Gsus^4 |
Of Fire Is - land's shore.___

Chorus 2

| B^7 C^7 | G |
Better pray for your sins,

| B^7 C^7 | G |
Better pray for your sins

| Em Em(maj^7) | Em^7 A^7 | Am^7 D^7 ‖ G^7
'Cos the gay Mes - siah's___ com - ing.

Bridge

| C |
No, it will not be me___

| Cmaj^7 C | G Gsus^4 |
Rufus The Bap - tist I___ be,

| Em/A A | Asus^4 A |
No I won't be the one,___

| C^9 | G ‖
Baptized in cum.

Verse 3

| G^7 | C |
What will happen in - stead

| Cmaj^7 C | G Gsus^4 |
Someone will demand my head,

| Em/A A | A^7 Em/A
And then I will kneel down,

| C^9 | C^9 G^7 |
And give it to them looking down.

Link

‖: Cmaj^7 C | C^{add9} C | Cmaj^7 C^{add9} | G Gsus^4 :‖

Chorus 3

| B^7 C^7 | G |
Better pray for your sins,

| B^7 C^7 | G |
Better pray for your sins

| Em Em(maj^7) | Em^7 A^7 | Am^7 D^7 | G ‖
'Cos the gay Mes - siah's___ com - ing.

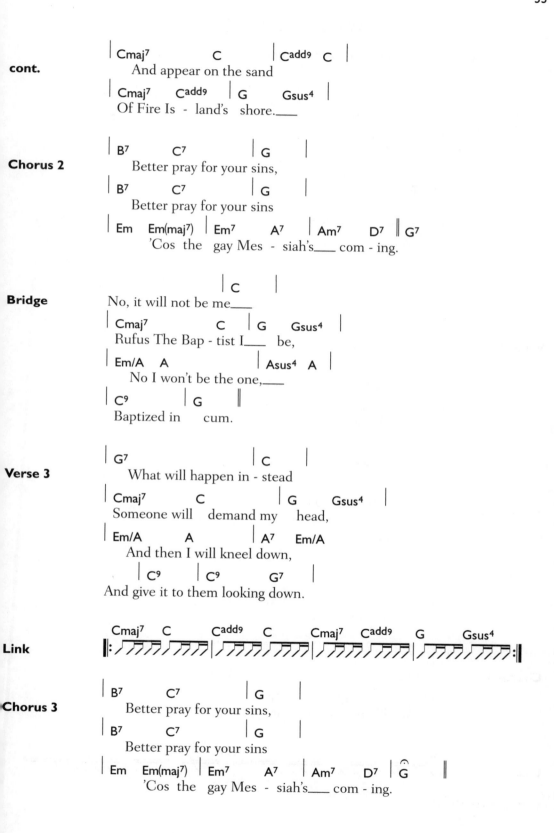

HEARTBEATS

Words and Music by Olof Dreijer and Karin Dreijer Andersson

Tune guitar
③ = F♯ ⑥ = D

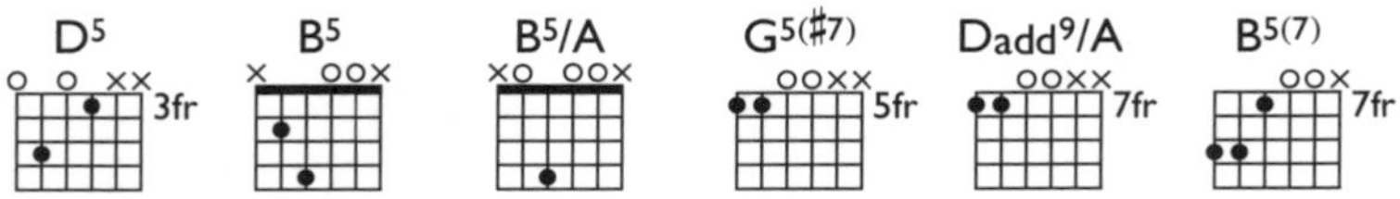

Capo 1st fret

♩ = 88

Intro

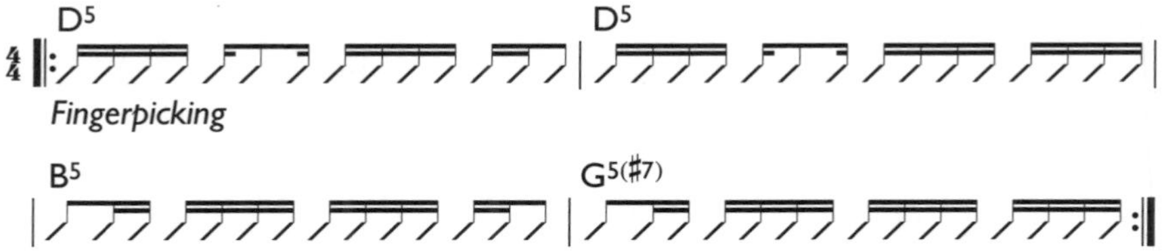

Verse 1

| D5 |
One night to be confused,
| D5 |
One night to speed up truth,
| B5 B5/A |
We had a promise made,
| G5(♯7) |
Four hands and then away.
| D5 |
Both under influence,
| D5 |
We had divine scent,
| B5 B5/A |
To know what to say
| G5(♯7) | 2/4 G5(♯7) ||
Mind is a razorblade.

Chorus 1

4/4 | D5 | D5 |
To call for hands of above to lean on
| B5 B5/A | G5(♯7) |
Wouldn't be good en - ough for me.

Link

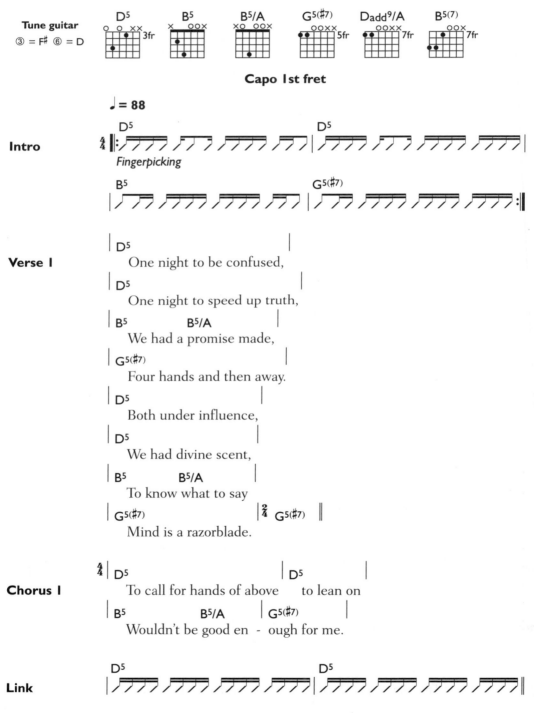

Verse 2

| D5 |
One night of magic rush
| D5 |
The start: a simple touch,
| B B5/A |
One night to push and scream
| G5(#7) |
And then relief.
| D5 |
Ten days of perfect tunes
| D5 |
The colours red and blue,
| B5 B5/A |
We had a promise made,
| G5(#7) | D5 ||
We were in love.

Chorus 2

| D5 | D5 |
To call for hands of above to lean on
| B5 B5/A | G5(#7) |
Wouldn't be good e - nough for me, now.
| D5 | D5
To call for hands of above to lean on
| B5 B5/A | G5(#7)
Wouldn't be good e - nough.

Bridge

|| Dadd9/A | Dadd9/A | G5(#7) | G5(#7)
And you, you knew the hand of the devil,
| Dadd9/A | Dadd9/A | G5(#7)
And you kept us awake with wolves teeth
| G5(#7) | B5(7) | B5(7) ||
Sharing different heartbeats in one night.

Chorus 3

| D5 | D5 |
To call for hands of above to lean on
| B5 B5/A | G5(#7) |
Wouldn't be good e - nough for me now.
| D5 | D5 |
To call for hands of above to lean on
| B5 | G5(#7) | D5 - ||
Wouldn't be good e - nough.

HIGH

Words and Music by James Blunt and Ricky Ross

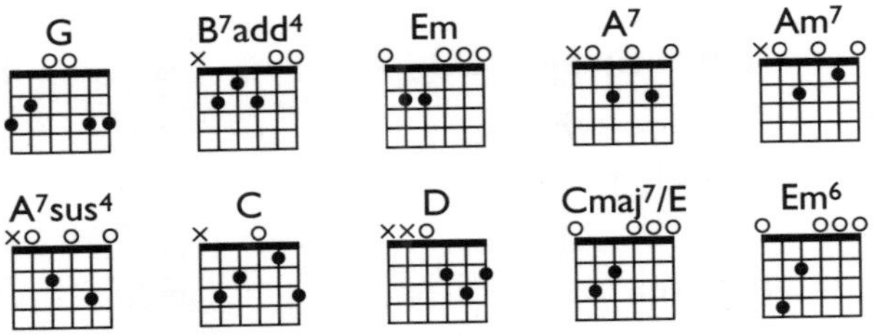

Capo 3rd fret

♩ = 81

Intro

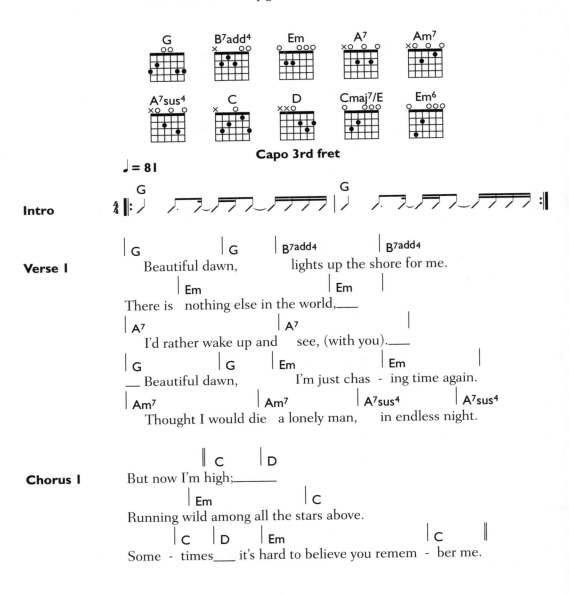

Verse 1

| G | G | B7add4 | B7add4
Beautiful dawn, lights up the shore for me.

| Em | Em |
There is nothing else in the world,___

| A7 | A7 |
I'd rather wake up and see, (with you).___

| G | G | Em | Em |
___ Beautiful dawn, I'm just chas - ing time again.

| Am7 | Am7 | A7sus4 | A7sus4
Thought I would die a lonely man, in endless night.

Chorus 1

|| C | D
But now I'm high;______

| Em | C
Running wild among all the stars above.

| C | D | Em | C ||
Some - times___ it's hard to believe you remem - ber me.

Verse 2

| G | G | B7add4 | B7add4
Beautiful dawn, melt with the stars again.
| Em | Em |
Do you re - member the day when my journey began?
| A7 | A7 | G
Will you remember the end___ (of time)?
| G | Em | Em
Beautiful dawn, you're just blow - ing my mind again.
| Am7 | Am7 | A7sus4 | A7sus4
Thought I was born to endless night, until you shine.

Chorus 2

‖ C | D
High;______
| Em | C
Running wild among all the stars above.
| C | D | Em | C |
Some - times___ it's hard to believe you remem - ber me.

Bridge

| Em | Cmaj7/E |
Will you be my shoulder when I'm grey and older?
| Em6 | Cmaj7/E
Promise me tomorrow starts with you.

Chorus 3

‖ C | D
Getting high;______
| Em | C
Running wild among all the stars above.
| C | D | Em | C |
Some - times___ it's hard to believe you remem - ber me.
| C | D
High,______
| Em | C
Running wild among all the stars above.
| C | D | Em | C ‖
Some - times___ it's hard to believe you remem - ber me.

Outro

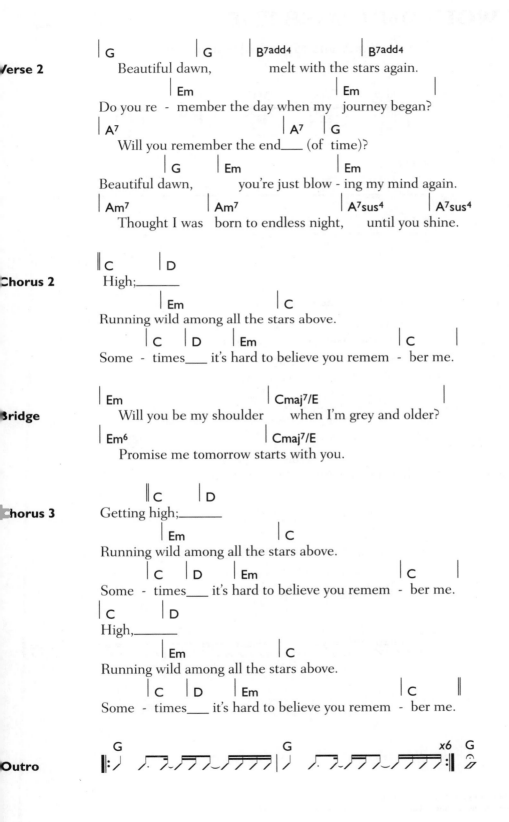

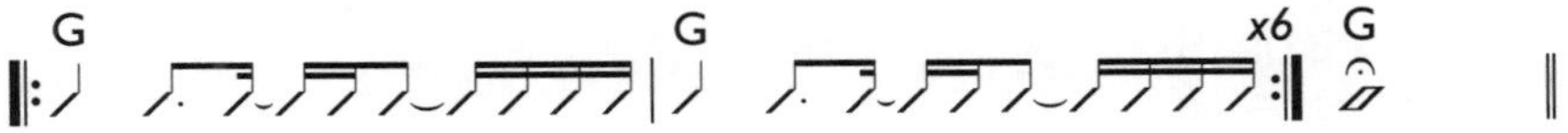

I WOULDN'T MISS IT FOR THE WORLD

Words and Music by Jonathan Rice

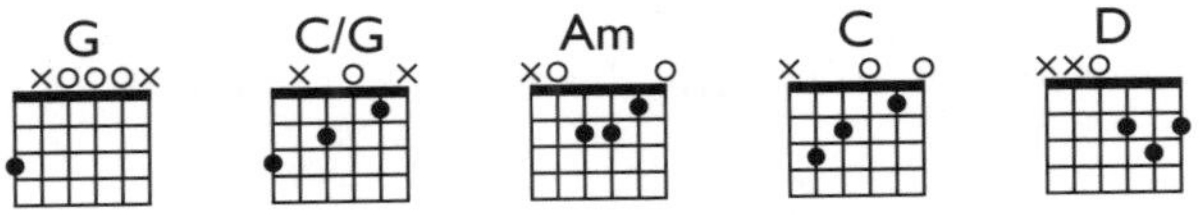

♩= 106

Intro

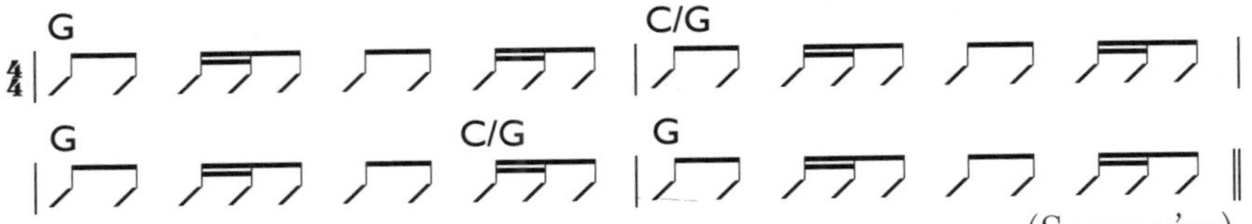

(See you've)

Verse I

| G | G
See you've loved me now for half a year
| C/G | C/G
Des - pite the distance and the fear
| C/G | C/G
Of a falling sky and a gathering storm
| C/G | C/G
That'll blow me back where I came from.

Chorus I

| Am | C
But that ain't the way I see you baby
| Am | C
I know you're not that kind of girl
| D | D | D |
When you die I will come looking for you.
| D C | G ‖
I wouldn't miss it for the world.

Link I

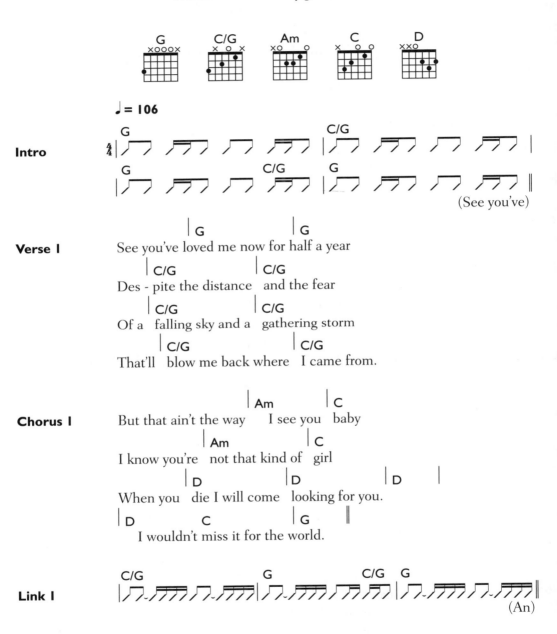

(An)

Verse 2

| G | G
An opportunist waiting for a chance
| C/G | C/G |
To fuck you over, leave you flat
| C/G | C/G
Take off your dress and go straight to the press
| C/G | G
To make time on the evening news.

Chorus 2

| Am | C
Is that the way___ you see me baby?
| Am | C
I know you're not that kind of girl,___
| D | D | D |
When you die I will come looking for you.
| D C | G ‖
I wouldn't miss it for the world.

Link 2

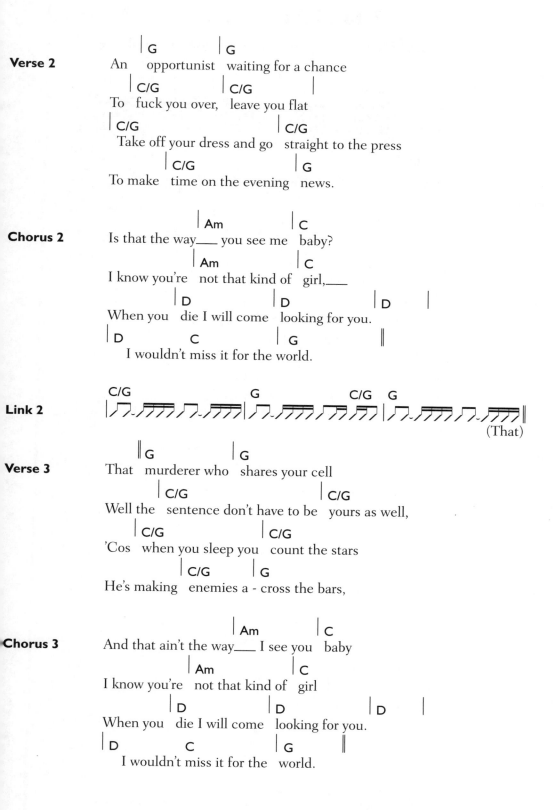

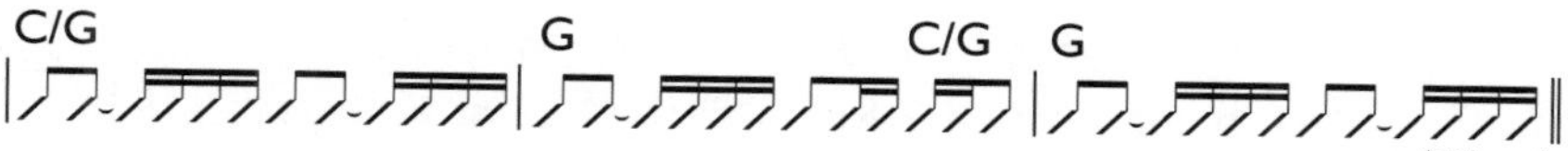

(That)

Verse 3

‖ G | G
That murderer who shares your cell
| C/G | C/G
Well the sentence don't have to be yours as well,
| C/G | C/G
'Cos when you sleep you count the stars
| C/G | G
He's making enemies a - cross the bars,

Chorus 3

| Am | C
And that ain't the way___ I see you baby
| Am | C
I know you're not that kind of girl
| D | D | D |
When you die I will come looking for you.
| D C | G ‖
I wouldn't miss it for the world.

I'M NOT SORRY

Words and Music by Stephen Morrissey and Martin Boorer

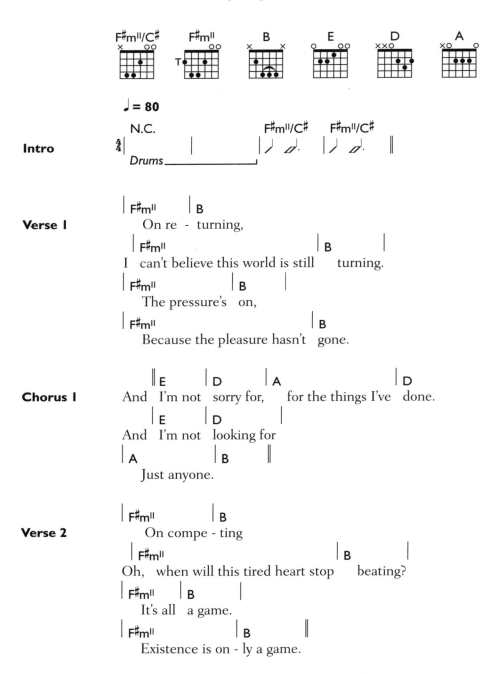

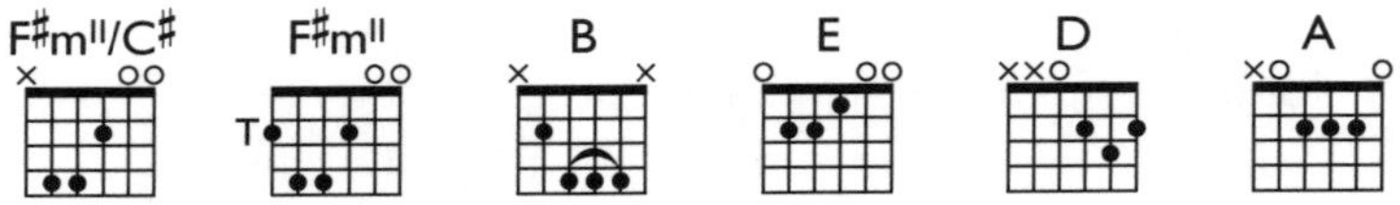

♩ = 80

Intro

N.C. | | F♯mII/C♯ | F♯mII/C♯ ||
Drums

Verse 1

| F♯mII | B
On re - turning,
| F♯mII | B |
I can't believe this world is still turning.
| F♯mII | B |
The pressure's on,
| F♯mII | B
Because the pleasure hasn't gone.

Chorus 1

|| E | D | A | D
And I'm not sorry for, for the things I've done.
| E | D |
And I'm not looking for
| A | B ||
Just anyone.

Verse 2

| F♯mII | B
On compe - ting
| F♯mII | B |
Oh, when will this tired heart stop beating?
| F♯mII | B |
It's all a game.
| F♯mII | B ||
Existence is on - ly a game.

Chorus 2 *As Chorus 1*

Verse 3

| F#m11 | B | F#m11 | B |
I'm slipping below the water-line.
| F#m11 | B | F#m11 | B
I'm slipping below the water-line.

Chorus 3

|| A | D |
Reach for my hand and,___
| A | D
And the race is won.
| E
Reject my hand,
| D | A | B |
And___ the damage is done.___

Verse 4

| F#m11 | B | F#m11 | B |
I'm slipping below the water-line.
| F#m11 | B | F#m11 | B
I'm slipping below the water-line.

Chorus 4

|| E | D |
The woman of my dreams, she,___
| A | D
She never came a - long.
| E | D |
The woman of my dreams, well,___
| A | B
There never was one.___
| E | D |
And I'm not sorry for,
| A | D
For the things I've said.
| E | D |
There's a wild man in my head,
| A | B ||
There's a wild man in my head.

Outro

FLAME TURNS BLUE

Words and Music by David Gray

Tune guitar

① = D ④ = D

② = A ⑤ = A

③ = F♯ ⑥ = D

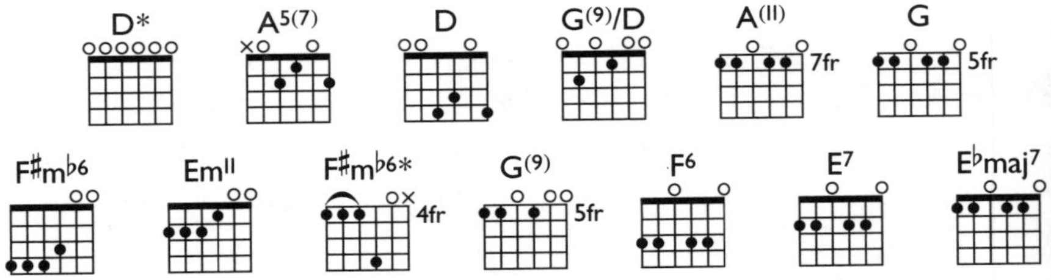

Capo 5th fret

♩ = 73

Intro

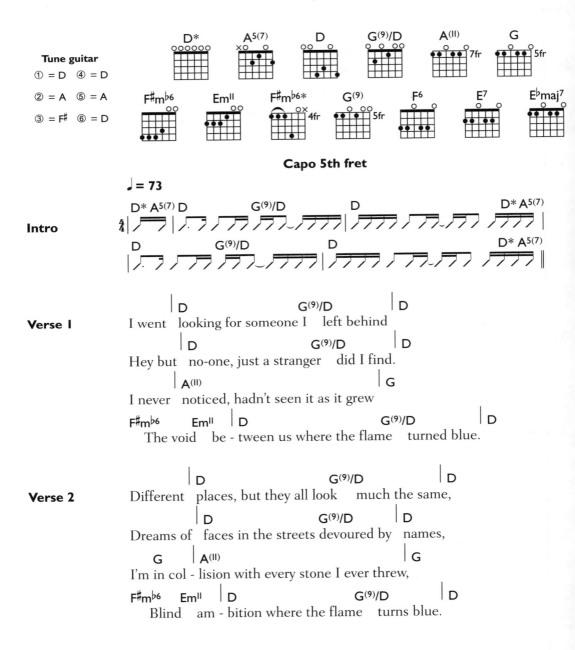

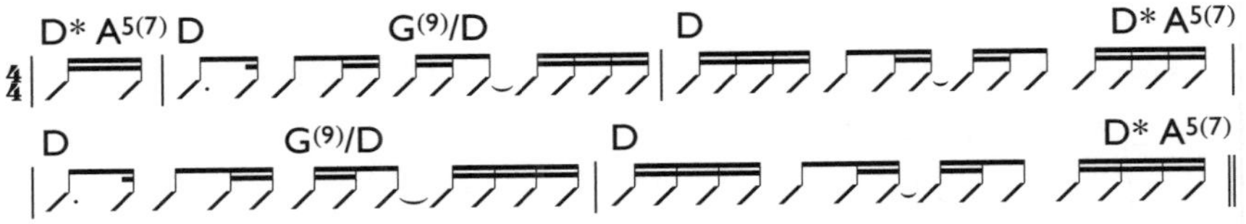

Verse 1

| D G(9)/D | D
I went looking for someone I left behind
| D G(9)/D | D
Hey but no-one, just a stranger did I find.
| A(11) | G
I never noticed, hadn't seen it as it grew
F♯m♭6 Em11 | D G(9)/D | D
The void be - tween us where the flame turned blue.

Verse 2

| D G(9)/D | D
Different places, but they all look much the same,
| D G(9)/D | D
Dreams of faces in the streets devoured by names,
G | A(11) | G
I'm in col - lision with every stone I ever threw,
F♯m♭6 Em11 | D G(9)/D | D
Blind am - bition where the flame turns blue.

Verse 3

| D G(9)/D | D
Words dis - mantled and all the books unbound,
| D G(9)/D | D
Conver - sation, though we utter not a sound.
G | A(11) | G F#mb6
I heard a rumour, I don't know if it's true
Em11 | D G(9)/D | D ||
That you'd meet me when the flame turns blue, alright now...

Instrumental

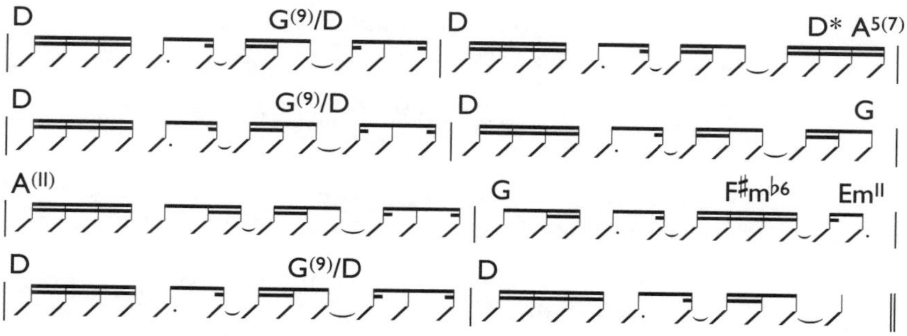

Verse 4

| D G(9)/D | D
So I venture underneath the leaden sky,
| D G(9)/D | D
See the freight train with it's one fierce eye.
G | A(11) | G F#mb6
And then I listen as it tears the night in two
Em11 | D G(9)/D | D
With a whis - tle and the flame turns blue.

Chorus 1

|| F#mb6* | G(9) | A(11) G(9) |
In the morning I will sing,
| D | F#mb6* | G(9) | A(11) G(9) ||
In the morning I will sing.

Verse 5

| D | D G(9)/D | D
Through the lemon trees, the dia - monds of light
| D G(9)/D | D
Break in splinters on the pages where I write,
G | A(11) | G
That if I lost you, I don't know what I'd do,
F♯m♭6 Em11 | D G(9)/D | D
Burn for - ever where the flame turns blue.
| A(11) | G
Yeah, if I lost you, I don't know what I'd do,
F♯m♭6 Em11 | D G(9)/D | D
Burn for - ever where the flame turns blue.

Chorus 2

|| F♯m♭6* | G(9) | A(11) G(9) |
In the morning I will sing,_________
| D | F♯m♭6* | G(9) | A(11) G(9) |
In the morning I will sing,
| D | F♯m♭6* | G(9) | A(11) G(9) |
In the morning I will sing,____ woah.
| D | F♯m♭6* | G(9) | A(11) G(9) | D ||
Sing.______

Outro

rit.
G(9) F6 E7 E♭maj7 D A5(7) G(9)/D D*

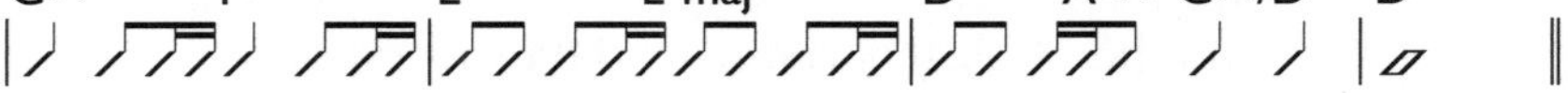

JCB SONG

Words and Music by Luke Concannon and John Parker

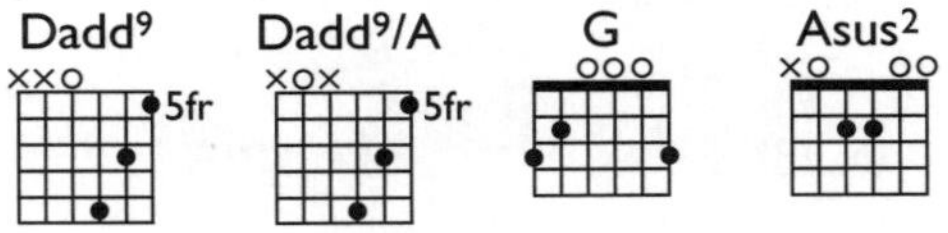

♩ = 104

Intro

Verse 1

Dadd⁹ | Dadd⁹/A
Well I'm rumbling in this JCB,___

Dadd⁹ | Dadd⁹/A
I'm five years old and my dad's a giant sitting beside me,

G | Asus2
And the engine rattles my bum like bezerk

G | Asus2
While we're singing "Don't forget your shovel if you want to go and work".

Dadd⁹ | Dadd⁹/A
And my dad's probably had a bloody hard day,___

Dadd⁹ | Dadd⁹/A
But he's been good fun and bubbling and joking away,

G | Asus2
And the pro - cession of cars stuck be - hind

G | Asus2 | Asus2
Are getting all impatient and angry but we don't mind.

Chorus 1

G | Asus2
And we're holding up the by - pass, oh,

G | Asus2
Me and my dad having a top laugh, oh woah,___

G | Asus2
I'm sitting on the tool box, oh,

G
And I'm so glad I'm not in school boss,

Asus2 |
So glad I'm not in school. Oh no.___

Link 1

| Dadd9 / / / / / / / / | Dadd9/A / / / / / / / / | Dadd9 / / / / / / / / | Dadd9/A / ||

Verse 2

| Dadd9 | Dadd9/A
And we pull over to let cars pass

| Dadd9 | Dadd9/A
And pull off again, speeding by this summer green grass,

| G | Asus2
And we're like giants up here in our big yellow digger

| G | Asus2
Like Zoids or Transformers or maybe even bigger.

| Dadd9 | Dadd9/A
And I wanna trans - form into a Tyrannosaurus Rex

| Dadd9 | Dadd9/A
And eat up all the bullies and the tea - chers and their pets,

| G | Asus2
And I'll tell all my mates my dad's B.A. Baracus,

| G | Asus2 | Asus2
Only with a JCB and Bruce Lee's Nunchuckas.

Chorus 2

| G | Asus2
And we're holding up the by - pass, oh,

| G | Asus2
Me and my dad having a top laugh, oh woah,___

| G | Asus2
I'm sitting on the tool box, oh,

| G
And I'm so glad I'm not in school boss,

| Asus2
So glad I'm not in school.

| G | Asus2
And we're holding up the by - pass, oh,

| G | Asus2
Me and my dad having a top laugh, oh woah,___

| G | Asus2
I'm sitting on the tool box, oh,

| G
And I'm so glad I'm not in school boss,

| Asus2 | Asus2 || N.C. ||
So glad I'm not in school.

♩= 196

Outro

| N.C. | N.C. |
Said I'm Luke, I'm five and my dad's Bruce Lee

| N.C. | N.C.
Drives me round in his JCB.

| N.C. | N.C. |
I'm Luke, I'm five and my dad's Bruce Lee

| N.C. | N.C.
Drives me round in his JCB.

| G | G |
I'm Luke, I'm five and my dad's Bruce Lee

| Asus2 | Asus2
Drives me round in his JCB.

| G | G |
I'm Luke, I'm five and my dad's Bruce Lee

| Asus2 | Asus2 | G | G |
Drives me round… and we're holding up the by - pass woah,___

| Asus2 | Asus2 | G | G | Asus2
Me and my dad having a top laugh, oh woah,

| Asus2 | G | G |
And I'm sitting on the tool box, oh,

| Asus2 | Asus2 | G
And I'm so glad I'm not in school boss,

| G | Asus2
So glad I'm not in school.

| Asus2 |: G | G
Oh I said I'm Luke, I'm five and my dad's Bruce Lee

x3

| Asus2 | Asus2 :|
Drives me round in his JCB. I'm

| G | G
Luke, I'm five and my dad's Bruce Lee

| Asus2 | (N.C.) | Dadd9 ||
Drives me round in his JCB.___

LET IT BLOW

Words and Music by Richard Thompson

Tune lowest string

⑥ = D

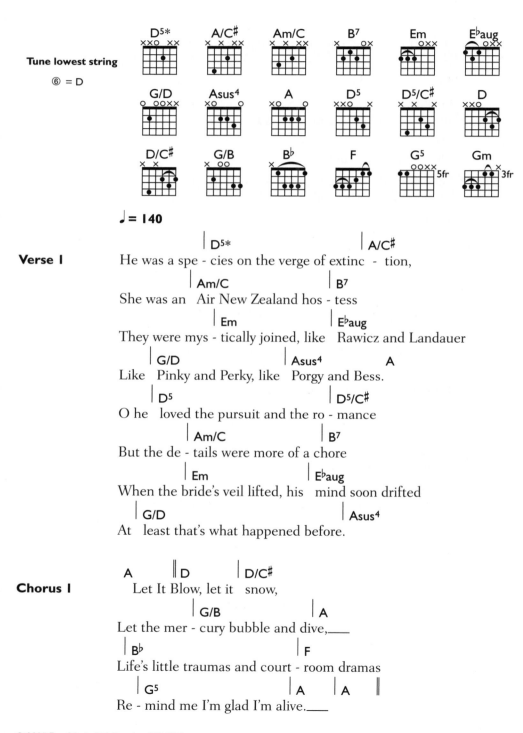

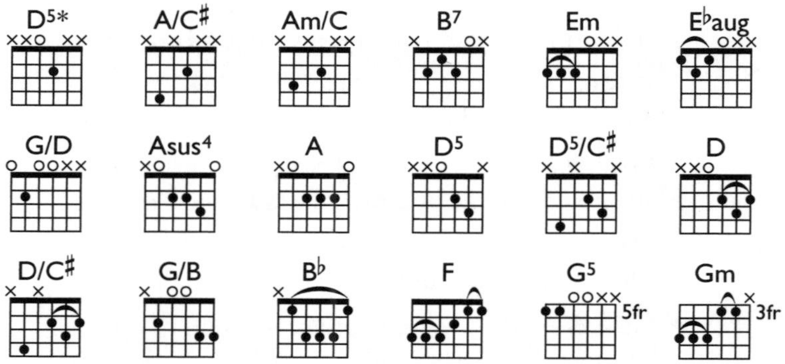

♩ = 140

Verse 1

| D5* | A/C♯
He was a spe - cies on the verge of extinc - tion,
| Am/C | B7
She was an Air New Zealand hos - tess
| Em | E♭aug
They were mys - tically joined, like Rawicz and Landauer
| G/D | Asus4 A
Like Pinky and Perky, like Porgy and Bess.
| D5 | D5/C♯
O he loved the pursuit and the ro - mance
| Am/C | B7
But the de - tails were more of a chore
| Em | E♭aug
When the bride's veil lifted, his mind soon drifted
| G/D | Asus4
At least that's what happened before.

Chorus 1

A ‖ D | D/C♯
Let It Blow, let it snow,
| G/B | A
Let the mer - cury bubble and dive,___
| B♭ | F
Life's little traumas and court - room dramas
| G5 | A | A ‖
Re - mind me I'm glad I'm alive.___

Link I

Verse 2

‖ D^5 | D^5/C♯
Oh she loved the clinking of glas - ses

| Am/C | B^7
When the toast was to nobles and prin - ces,

| Em | E♭aug
In the con - jugal nest she was seen at her best,

| G/D | A
With her keen eye for curtains and chint - zes.

| D | D^5/C♯
She had all of the furniture or - dered

| Am^7 | B^7
By the time they were naming the date,

| Em | E♭aug
And her mo - ther came speeding from distant Dunedin

| G/D | Asus^4
To help with the flowers and cake.

Chorus 2

‖ D | D/C♯
Let It Blow, let it snow,

| G/B | A
Let the mer - cury bubble and dive,

| B♭ | F
Life's little traumas and court - room dramas

| G^5 | A ‖
Re - mind me I'm glad I'm alive.

Guitar solo

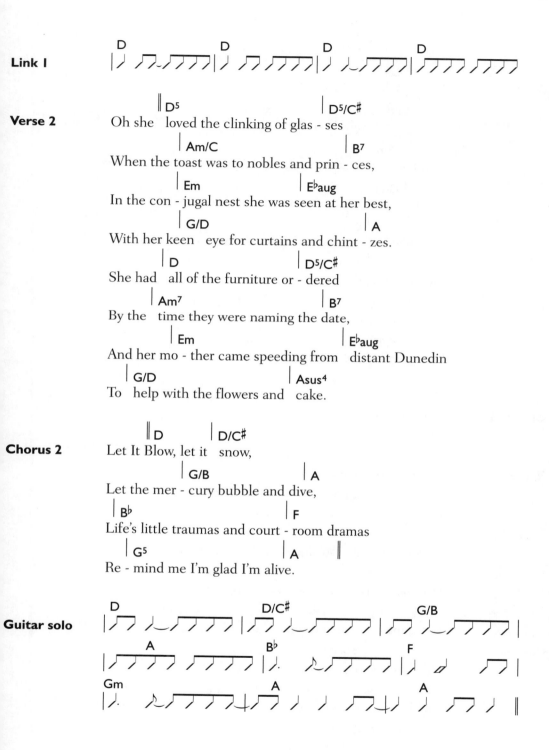

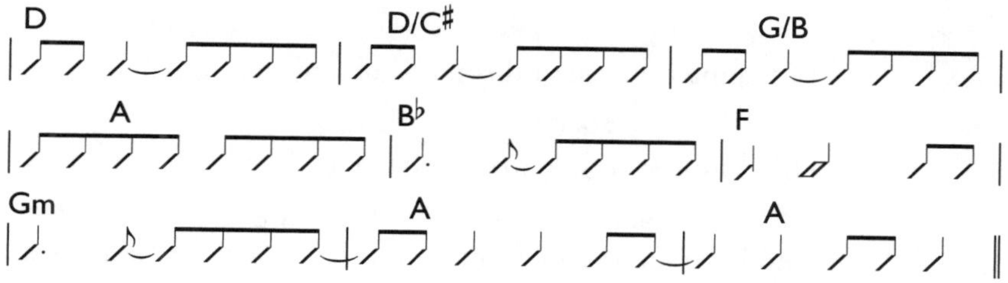

Verse 3

| D^5 | D^5/C$^\sharp$
At the Chapel of Partial Remem - brance

| Am/C | B^7
The ushers went into a sei - zure

| Em | E$^\flat$aug
"Mr. Bac - chus", they said, "Should we stand on our heads

| G/D | A
Would sackcloth and ashes dis - please you?"

| D | D^5/C$^\sharp$
And they ho - neymooned down in Ibi - za

| Am/C | B^7
Where the sun and the nightlife were hot

| Em | E$^\flat$aug
As she lay on the sand, he said, "Isn't it grand?

| G/D | Asus^4
I bring all of my wives to this spot."

Chorus 3 *As Chorus 1*

Verse 4

| D^5 | D^5/C$^\sharp$
A life of volcanic activi - ty

| Am/C | B^7
Left him no - thing to spout but hot air,

| Em | E$^\flat$
A long interruption since his last eruption

| G/D | A
Was dis - guised by sheer devil - may - care.

| D | D^5/C$^\sharp$
But some charm and some skill and ma - noeuvre

| Am/C | B^7
Had him ris - ing to meet the occa - sion

| Em | E$^\flat$aug
And for once, they found bliss, but news of their tryst

| G/D | A
Got to Fleet Street, and caused a sensa - tion.

Chorus 4 *As Chorus 2*

Link 2

D D D D

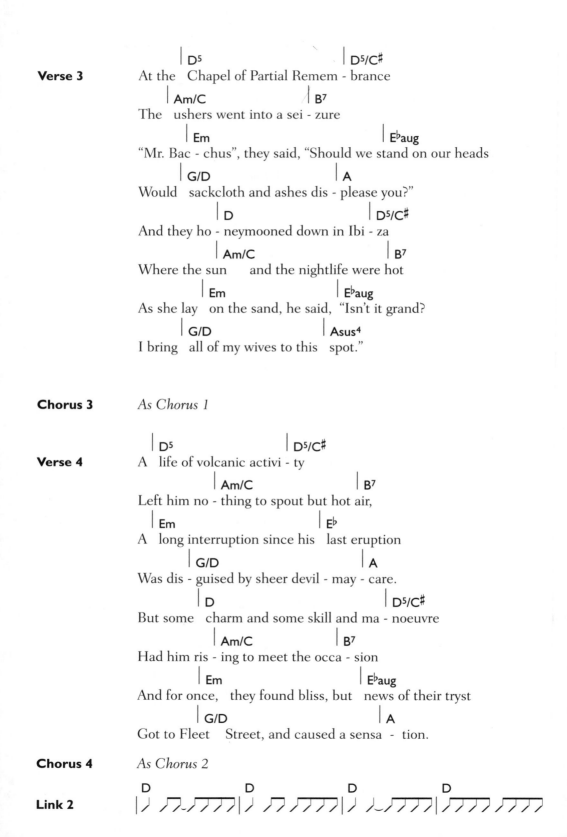

Verse 5

```
               || D⁵*                            | A/C#
And the   Press was baying for blood        now,
     | Am/C                           | B⁷
They   gave them a week at the most.
        | Em                         | E♭aug
We were   all glad to see it reach   weeks two and three
        | G/D                                   | A
But the fourth week, the whole thing was toast.
Asus⁴   | D⁵                                    | D⁵/C#
And she   dragged her tail back to New Zea   -   land,
     | Am/C                               | B⁷
With   threats of High Court and re - venge,
               | Em                        | E♭aug
Meanwhile   his eye did stray to the   ample bustier
      | G/D                   | A
Of a   novelty dancer from Penge.
```

Chorus 5

```
              || D           | D/C#
Let It Blow, let it       snow,
                   | G/B                 | A
Let the mer - cury bubble and dive,
 | B♭                                  | F
Life's little traumas and court - room dramas
   | Gm                                | A        | A
Re - mind me I'm glad I'm alive.                  Ah,
              | D            | D/C#
Let It Blow, let it       snow,
                   | G/B                 | A
Let the mer - cury bubble and dive,
 | B♭                                  | F
Life's little traumas and court - room dramas
   | Gm                                | A        | A      ||
Re - mind me I'm glad I'm alive.__________
```

Outro

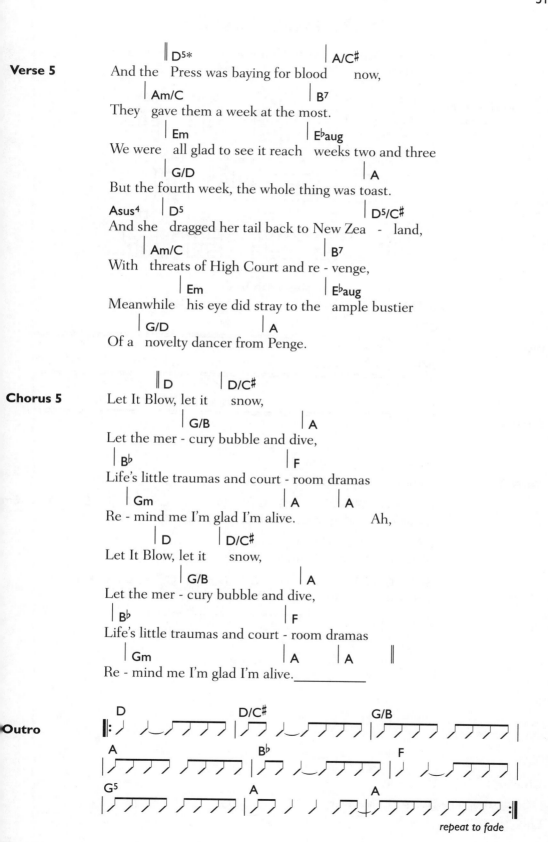

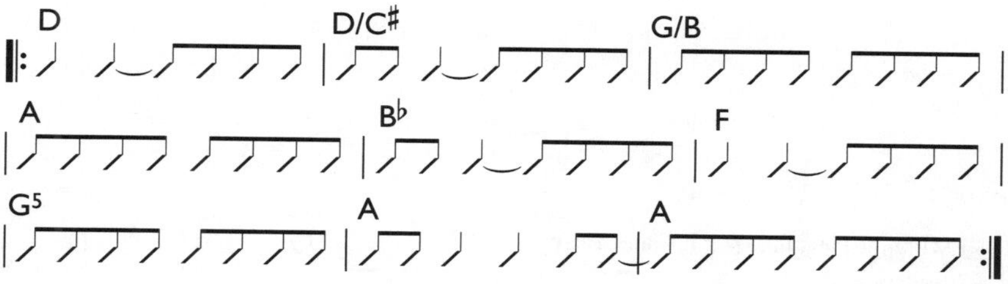

repeat to fade

LONDON SKIES

Words and Music by Guy Chambers and Jamie Cullum

Tune lowest string
⑥ = D

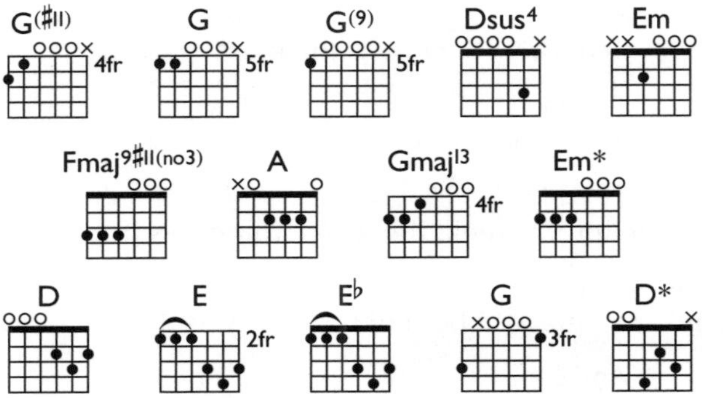

Capo 4th fret

♩= 112

Intro

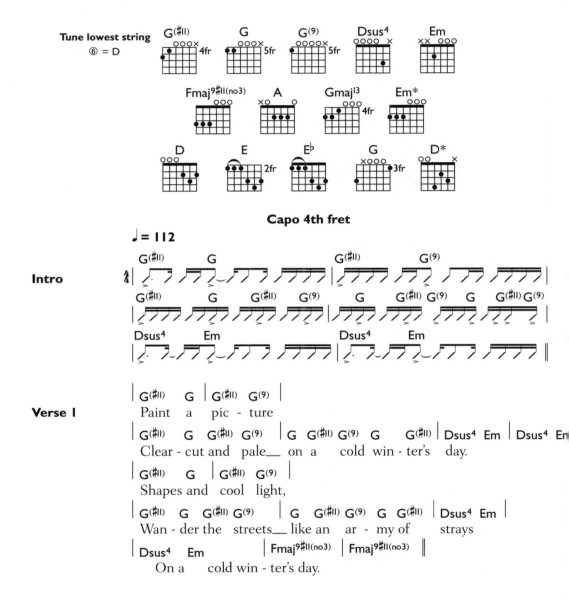

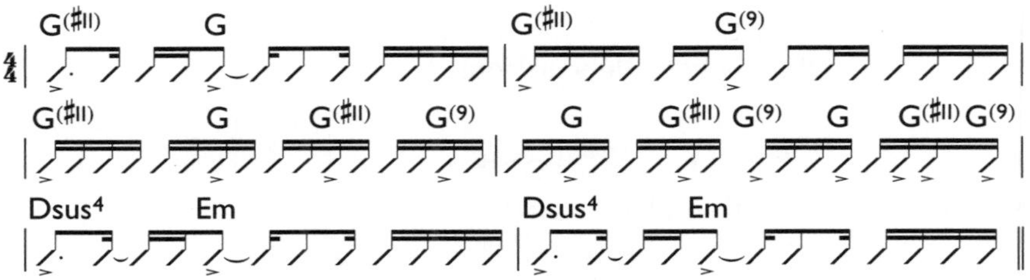

Verse 1

| G(♯11) G | G(♯11) G(9) |
Paint a pic - ture

| G(♯11) G G(♯11) G(9) | G G(♯11) G(9) G G(♯11) | Dsus4 Em | Dsus4 Em
Clear - cut and pale__ on a cold win - ter's day.

| G(♯11) G | G(♯11) G(9) |
Shapes and cool light,

| G(♯11) G G(♯11) G(9) | G G(♯11) G(9) G G(♯11) | Dsus4 Em |
Wan - der the streets__ like an ar - my of strays

| Dsus4 Em | Fmaj9♯11(no3) | Fmaj9♯11(no3) ||
On a cold win - ter's day.

Chorus 1

| A | Gmaj^{13} | A | Gmaj^{13} |
Will you let me romanti - cise________

| A | Gmaj^{13} | Em | D |
The beauty in our London skies?________

| A | Gmaj^{13} | A | Gmaj^{13} |
You know the sunlight always shines________

| A | Gmaj^{13} | Em* |
Behind the clouds of London skies.

Link 1

(E) (F♯) (A) (C♯) (D) (E*)
| / / / / / / ||
Root only

Verse 2

| G$^{(\sharp 11)}$ G | G$^{(\sharp 11)}$ G$^{(9)}$ |
Pa - tient mo - ments

| G$^{(\sharp 11)}$ G G$^{(\sharp 11)}$ | G$^{(9)}$ G G$^{(\sharp 11)}$ G$^{(9)}$ G G$^{(\sharp 11)}$ | Dsus^{4} Em | Dsus^{4} Em |
Chill to the bone un - der in - fi - nite greys.

| G$^{(\sharp 11)}$ G | G$^{(\sharp 11)}$ G$^{(9)}$ |
Vi - sion hin - dered,

| G$^{(\sharp 11)}$ G G$^{(\sharp 11)}$ | G$^{(9)}$ G G$^{(\sharp 11)}$ G$^{(9)}$ G G$^{(\sharp 11)}$ | Dsus^{4} Em |
Mist set - tling low like a ghost - ly bal - let,

| Dsus^{4} Em | Fmaj$^{9\sharp 11(no3)}$ | Fmaj$^{9\sharp 11(no3)}$ ||
On a cold win - ter's day...

Chorus 2

| A | Gmaj^{13} | A | Gmaj^{13} |
Will you let me romanti - cise________

| A | Gmaj^{13} | Em | D |
The beauty in our London skies?________

| A | Gmaj^{13} | A | Gmaj^{13} |
You know the sunlight always shines________

| A | Gmaj^{13} | Em | D ||
Behind the clouds of London skies.

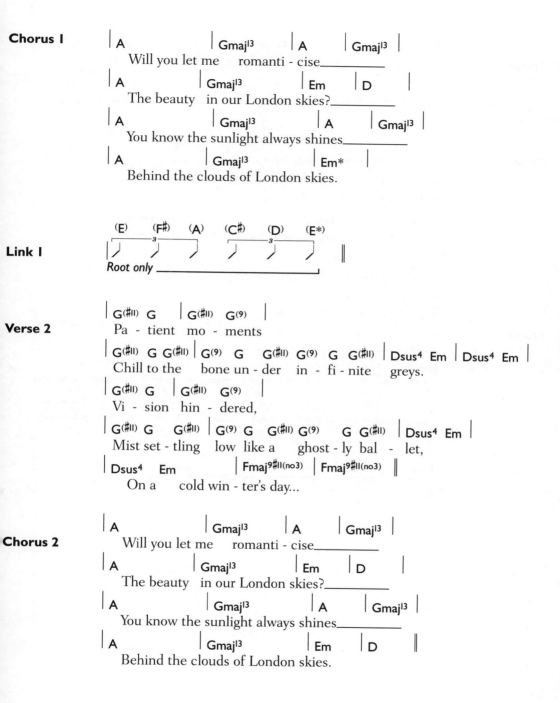

Bridge

| E | E♭ | D | D
Nothing is certain 'cept everything you know can change,
| E | E♭ | G | G ‖
You worship the sun, but now can you fall for the rain?________

Chorus 3

| A | Gmaj13 | A | Gmaj13 |
Will you let me romanti - cise________
| A | Gmaj13 | Em | D |
This beauty in our London skies?________
| A | Gmaj13 | A | Gmaj13 |
You know the sunlight always shines________
| A | Gmaj13 | Em* |
Behind the clouds of London skies.

Outro

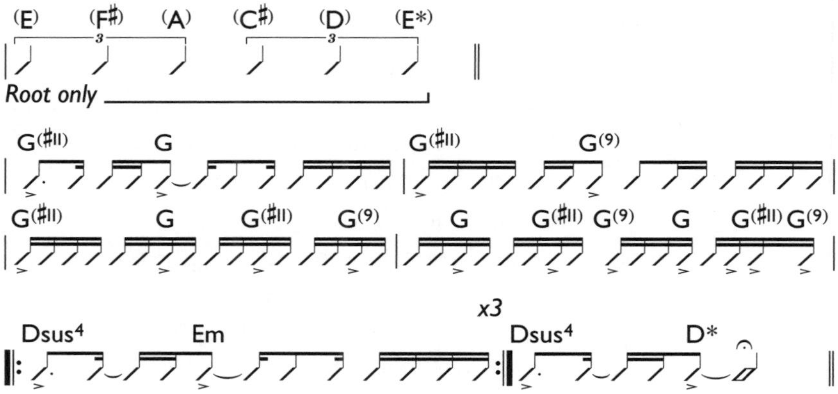

OXYGEN

Words and Music by Willy Mason

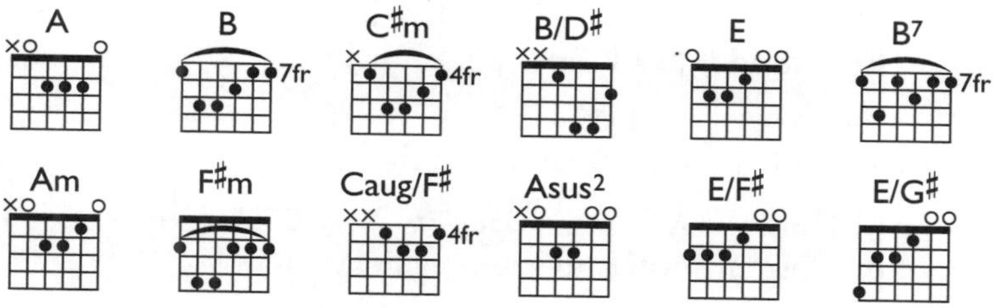

♩. = 116

Intro

(A) (A)

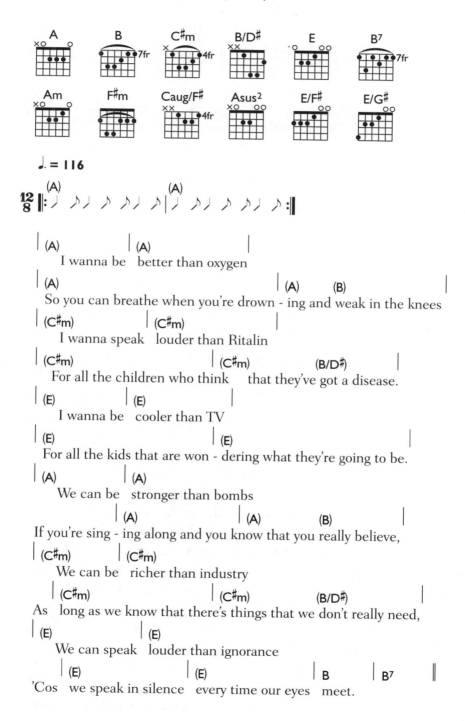

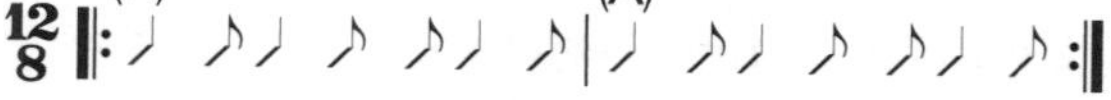

Verse 1

| (A) | (A) |
I wanna be better than oxygen

| (A) | (A) (B) |
So you can breathe when you're drown - ing and weak in the knees

| (C♯m) | (C♯m) |
I wanna speak louder than Ritalin

| (C♯m) | (C♯m) (B/D♯) |
For all the children who think that they've got a disease.

| (E) | (E) |
I wanna be cooler than TV

| (E) | (E) |
For all the kids that are won - dering what they're going to be.

| (A) | (A)
We can be stronger than bombs

| (A) | (A) (B) |
If you're sing - ing along and you know that you really believe,

| (C♯m) | (C♯m)
We can be richer than industry

| (C♯m) | (C♯m) (B/D♯) |
As long as we know that there's things that we don't really need,

| (E) | (E)
We can speak louder than ignorance

| (E) | (E) | B | B7 ||
'Cos we speak in silence every time our eyes meet.

Chorus 1

| E | C#m
On and on, and on it goes
| A | Am
The world it just keeps spin - ning,
| E | C#m
Un - til I'm dizzy, time to breathe
| F#m A | Caug/F# | E | *tacet* (E) / / / ||
So close my eyes and start again a - new.

Verse 2

| (A) | (A) |
I wanna see through all the lies of society
| (A) | (A) (B) |
To the reality, happiness is at stake,
| (C#m) | (C#m) |
I wanna hold up my head with dignity
| (C#m) | (C#m) (B/D#) |
Proud of a life where to give means more than to take,
| (E) | (E)
I want to live beyond the modern mentality
| (E) | (E) |
Where paper is all that you're real - ly taught to create
| (A) | (A) |
Do you remember the for - gotten America?
| (A) | (A) (B) |
Justice, equality, freedom to every race?
| (C#m) | (C#m) |
Just need to get past all the lies and hypocrisy
| (C#m) | (C#m) (B/D#) |
Make up and hair to the truth behind eve - ry face.
| (E) | (E) |
Then look around to all the people you see,
| (E) | (E) |
How many of them are happy and free?
| (A) | (A)
I know it sounds like a dream
| (A) | (A) (B) |
But it's the only thing that can get me to sleep at night,
| (C#m) | (C#m)
I know it's hard to believe

cont.

| (C#m) | (C#m) (B/D#) |
But it's easy to see that some - thing here isn't right,
| (E) | (E)
I know the future looks dark
| (E) | (E) | B | B7 ||
But it's there that the kids of to - day must carry the light.

Chorus 2 *As Chorus 1*

Bridge

4/4 | E | E | F#m |
If I'm a - fraid to catch a dream,
| A | E |
I weave your baskets and I'll float them
| E | F#m / / / | Asus2 / / / |
Down the river stream,
| C#m | C#m | A / / / | A / / / |
Each one I weave with words I speak
| A | A | E / / / | E / E/F# E/G# ||
To carry love to your relief.

Verse 3 12/8 *As Verse 1*

Chorus 3

| E | C#m
On and on, and on it goes
| A | Am
The world it just keeps spin - ning,
| E | C#m
Un - til I'm dizzy, time to breathe
| F#m A | Caug/F# | E ||
So close my eyes and start again a - new.

NO ONE TAKES YOU HOME

Words and Music by Kathryn Williams

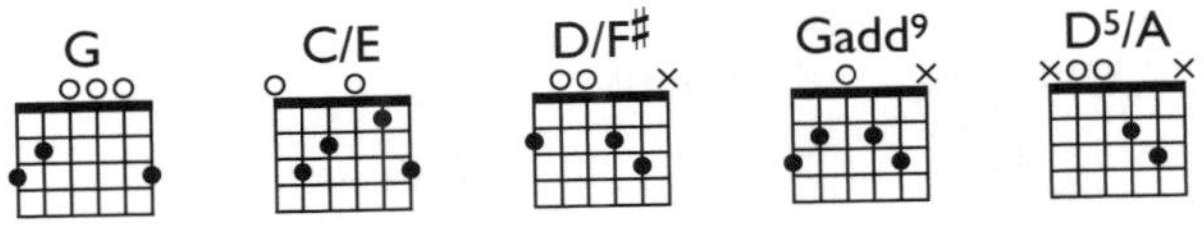

Capo 2nd fret

♩ = 115

Intro

Verse 1

| G | G | C/E | C/E |
Now is the time to find out why you're buying everything,
| G | G | C/E | C/E
Now is the time to find out why you sigh at everything.
| G | G | C/E | C/E
You dress yourself up to the top of your knick - ers,
| G | G | C/E |
And you smell so good it's like a box of chocolates.

Chorus 1

| C/E | D/F♯ | D/F♯ | Gadd9 |
But no one takes you home,
| D5/A | G |
No one takes you___ home.

Link 1

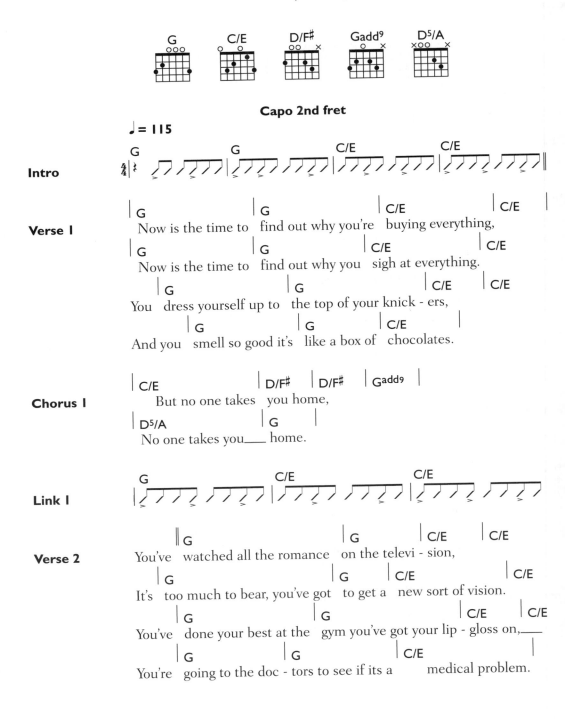

Verse 2

|| G | G | C/E | C/E
You've watched all the romance on the televi - sion,
| G | G | C/E | C/E
It's too much to bear, you've got to get a new sort of vision.
| G | G | C/E | C/E
You've done your best at the gym you've got your lip - gloss on,___
| G | G | C/E |
You're going to the doc - tors to see if its a medical problem.

Chorus 2

| C/E | D/F♯ | D/F♯ | Gadd9 |
'Cause no one takes you home,
| D5/A | G |
No one takes you home (ba ba ba...)

Instrumental

G | C/E | C/E ||
(ba ba ba ba, ba ba ba ba, ba ba ba ba ba),
|: G | G |
(ba ba ba, ba ba ba ba, ba
| C/E | C/E :| x3
(ba ba ba, ba ba ba ba... ba.)

Verse 3

| G | G | C/E | C/E
It's breakfast it's lunchtime it's dinnertime,
| G | G |
Spent with all those women's ma - gazines,
| C/E | C/E |
Tell you you're not as fine as you look
| G | G | C/E | C/E
To yourself in the mirror in the morning when you smile
| G | G
To get your - self out of the door
| C/E | C/E | D/F♯ | D/F♯ | Gadd9
To give life why can't life give you some more?___
| D/A | G ||
'Cause no one takes you home.

Outro

| G | C | C |
|: G | G |
(Ba ba ba ba, ba ba ba ba,
| C/E | C/E :| *Repeat to fade*
ba ba ba ba, ba ba ba ba...)

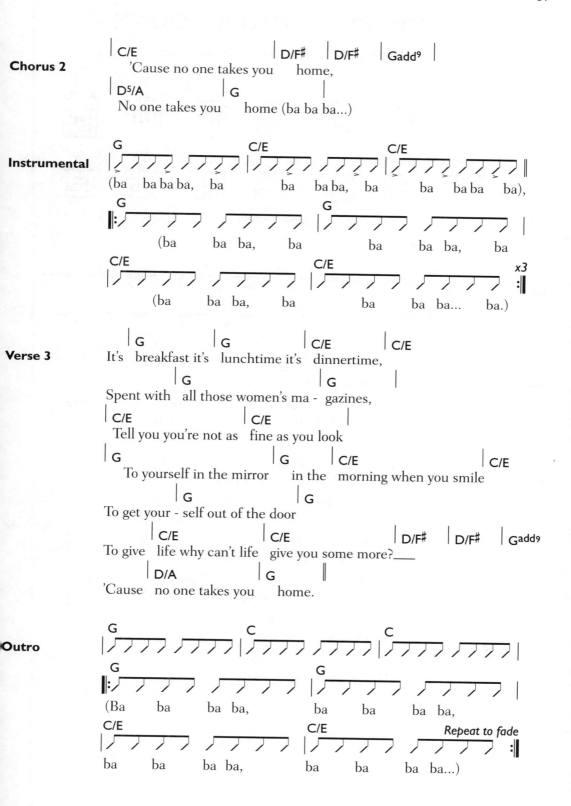

NOW THAT YOU'RE GONE

Words and Music by David Ryan Adams

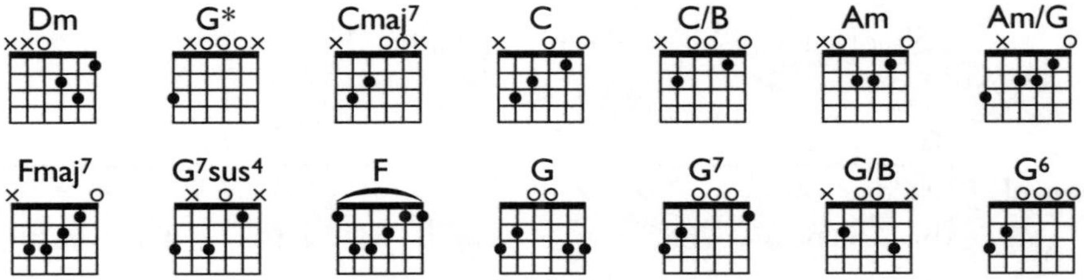

Capo 2nd fret

♩ = 59

Intro

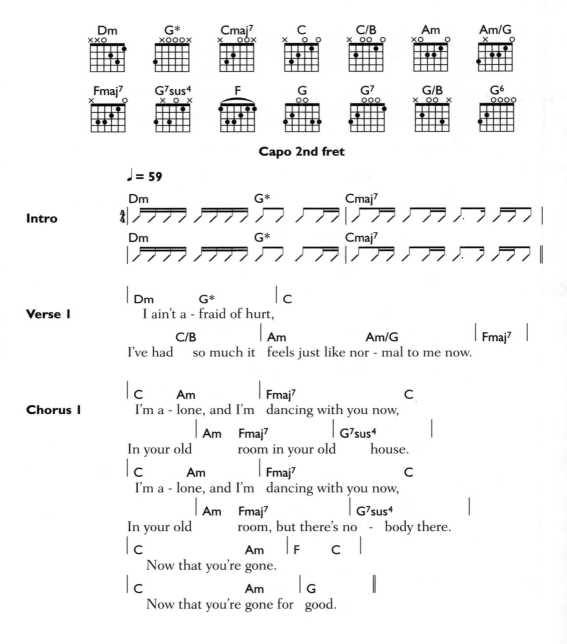

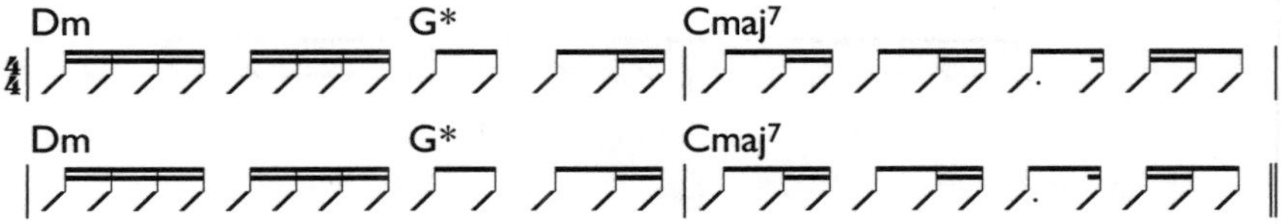

Verse 1

| Dm G* | C
I ain't a - fraid of hurt,

C/B | Am Am/G | Fmaj7 |
I've had so much it feels just like nor - mal to me now.

Chorus 1

| C Am | Fmaj7 C
I'm a - lone, and I'm dancing with you now,

| Am Fmaj7 | G7sus4 |
In your old room in your old house.

| C Am | Fmaj7 C
I'm a - lone, and I'm dancing with you now,

| Am Fmaj7 | G7sus4 |
In your old room, but there's no - body there.

| C Am | F C |
Now that you're gone.

| C Am | G ||
Now that you're gone for good.

Bridge

| Dm G^7 | C G/B
Every - thing you ever touched__ is undisturbed

| Am G^6 | Fmaj^7 |
And hangs out like crime scene evidence undisturbed in dust.

| Dm G^7 | C G/B |
I don't dare touch anything, 'cos it's evidence of us

| Am G | Fmaj^7 | Fmaj^7 ||
And it means everything, well sort of.

Chorus 2 *As Chorus 1*

Instrumental

Dm F C C G F

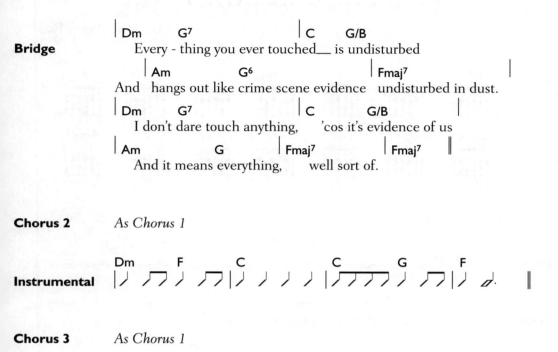

Chorus 3 *As Chorus 1*

PUT YOUR RECORDS ON

Words and Music by Steven Chrisanthou, John Beck and Corinne Bailey Rae

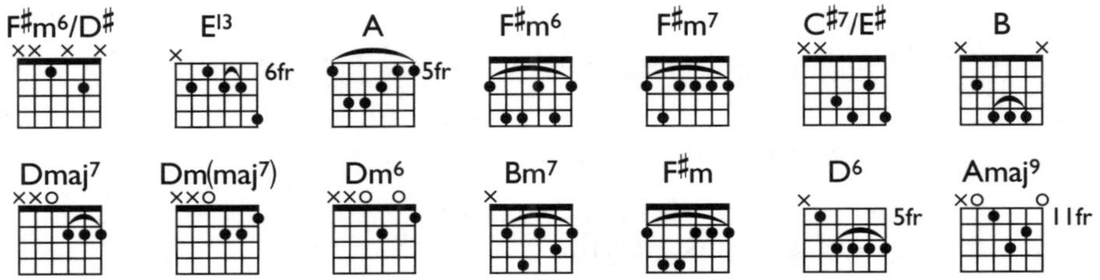

♩ = 95

Intro

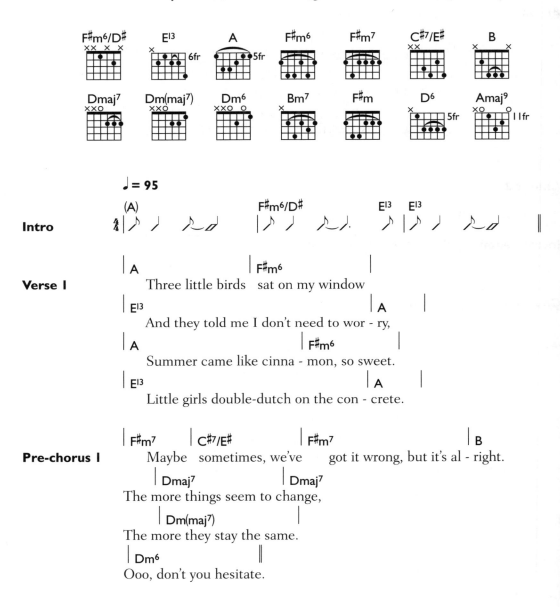

Verse 1

| A | F♯m6 |
Three little birds sat on my window
| E13 | A |
And they told me I don't need to wor - ry,
| A | F♯m6 |
Summer came like cinna - mon, so sweet.
| E13 | A |
Little girls double-dutch on the con - crete.

Pre-chorus 1

| F♯m7 | C♯7/E♯ | F♯m7 | B
Maybe sometimes, we've got it wrong, but it's al - right.
| Dmaj7 | Dmaj7
The more things seem to change,
| Dm(maj7) |
The more they stay the same.
| Dm6 ||
Ooo, don't you hesitate.

Chorus 1

| A |
Girl put your records on,__
| F#m6 |
__ Tell me your favourite song.__
| E13 | A |
__ You go ahead, let your hair down.
| A |
Sapphire and faded jeans,__
| F#m6 |
__ I hope you get your dreams.__
| E13 | A |
__ Just go ahead, let your hair down.
| Dmaj7 | Dm6 | A ||
You're going to find yourself somewhere, some - how.

Verse 2

| A |
Blue as the sky,
| F#m6 |
Sunburnt and lonely,
| E13 | A |
Sipping tea in a bar by the road - side.
| A | F#m6 |
Don't you let those other boys fool you,
| E13 | A |
Got to love that afro hair - do.

Pre-chorus 2

| F#m7 | C#7/E# | F#m7 | B
Maybe sometimes we feel afraid, but it's al - right.
| Dmaj7 | Dmaj7
The more you stay the same,
| Dm(maj7) |
The more they seem to change,
| Dm6 ||
Don't you think it's strange?

Chorus 2

| A |
Girl put your records on,—
| F#m^6 |
— Tell me your favourite song.—
| E^{13} | A |
— You go ahead, let your hair down.
| A |
Sapphire and faded jeans,—
| F#m^6 |
— I hope you get your dreams.—
| E^{13} | A |
— Just go ahead, let your hair down,
| Dmaj^7 | Dm^6 ||
You're going to find yourself somewhere, somehow.—

Bridge

| Bm^7 |
— 'Twas more than I could take.
| Bm^7 |
Pity for pity's sake.
| F#m |
Some nights kept me awake.
| F#m (N.C.) |
I thought that I was stronger.—
| Bm^7 |
— When you gonna realise
| Bm^7 | Dmaj^7 | Bm^7 |
That you don't even have to try any longer?
| D^6 |
Do what you want to.

Chorus 3

| A N.C. |
Girl put your records on,__
| F♯m6 |
__ Tell me your favourite song.__
| E13 | A |
__ You go ahead, let your hair down.
| A |
Sapphire and faded jeans,__
| F♯m6 |
__ I hope you get your dreams.__
| E13 | A |
__ Just go ahead, let your hair down.
| A |
Girl put your records on,__
| F♯m6 |
__ Tell me your favourite song.__
| E13 | A |
__ You go ahead, let your hair down.
| A |
Sapphire and faded jeans,__
| F♯m6 |
__ I hope you get your dreams.__
| E13 | A |
__ Just go ahead, let your hair down.
| Dmaj7 | Dm(maj7) | Amaj9 ||
You're going to find yourself somewhere, some - how.

STATE OF THE UNION

Words and Music by David Ford

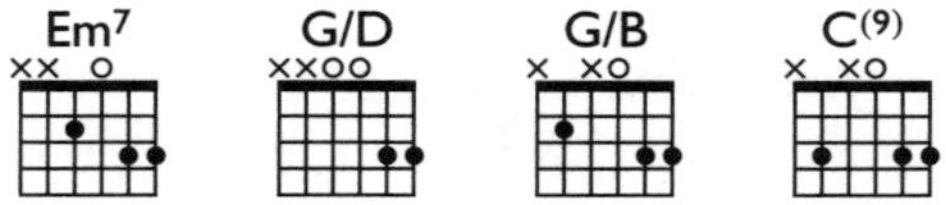

♪= 150

Intro

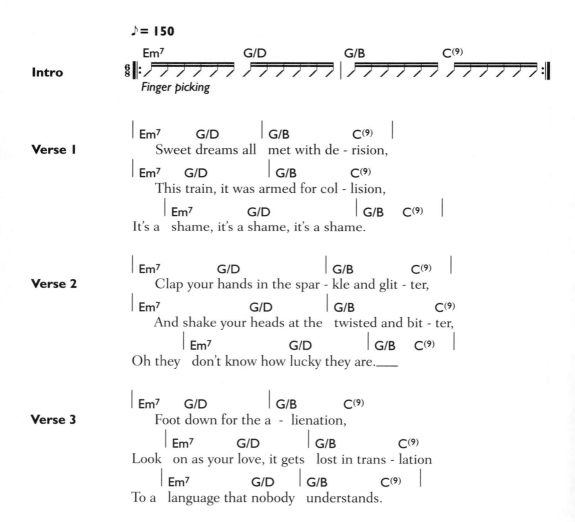

Verse 1

| Em7 G/D | G/B C(9) |
Sweet dreams all met with de - rision,
| Em7 G/D | G/B C(9)
This train, it was armed for col - lision,
| Em7 G/D | G/B C(9) |
It's a shame, it's a shame, it's a shame.

Verse 2

| Em7 G/D | G/B C(9) |
Clap your hands in the spar - kle and glit - ter,
| Em7 G/D | G/B C(9)
And shake your heads at the twisted and bit - ter,
| Em7 G/D | G/B C(9) |
Oh they don't know how lucky they are.___

Verse 3

| Em7 G/D | G/B C(9)
Foot down for the a - lienation,
| Em7 G/D | G/B C(9)
Look on as your love, it gets lost in trans - lation
| Em7 G/D | G/B C(9) |
To a language that nobody understands.

Recorded by David Ford on the album "I Sincerely Apologise For All The Trouble I've Caused" (Independiente Records)

Verse 4

| Em7 G/D | G/B C(9)
But there are smiles as they e - rode and cor - rupt you
| Em7 G/D | G/B C(9)
Of the great expec - tations you could never live up to.
| Em7 G/D | G/B C(9) |
We are lost, we are lost, we are lost.

Link

| Em7 ////// G/D ////// | G/B ////// C(9) ////// ||

Verse 5

| Em7 G/D | G/B C(9)
Get your coat, 'cos the righteous are leav - ing,
| Em7 G/D | G/B C(9)
'Cos they can't work out what the hell to believe in,
| Em7 G/D | G/B C(9) |
It's a shame, it's a shame, it's a shame.

Verse 6

| Em7 G/D | G/B C(9) |
No a - bandon, no heartfelt de - sire,
| Em7 G/D | G/B C(9)
No love could be worth getting fired,
| Em7 G/D | G/B C(9) |
For real, it's sur - real, it's so real.

Verse 7

| Em7 G/D | G/B C(9)
So paint over the cracks and then cover
| Em7 G/D | G/B C(9)
What you thought was the worst ever pain with an - other,
| Em7 G/D | G/B C(9) |
And the first one, it always comes free.

Verse 8

| Em7 G/D | G/B C(9) |
How they love you so cold and so vicious,
| Em7 G/D | G/B C(9)
With friends like these, well, who needs poli - ticians?
| Em7 G/D | G/B C(9)
The first one, it always comes free,
| Em7 G/D | G/B C(9) |
They tell you heroin tastes like ice - cream.

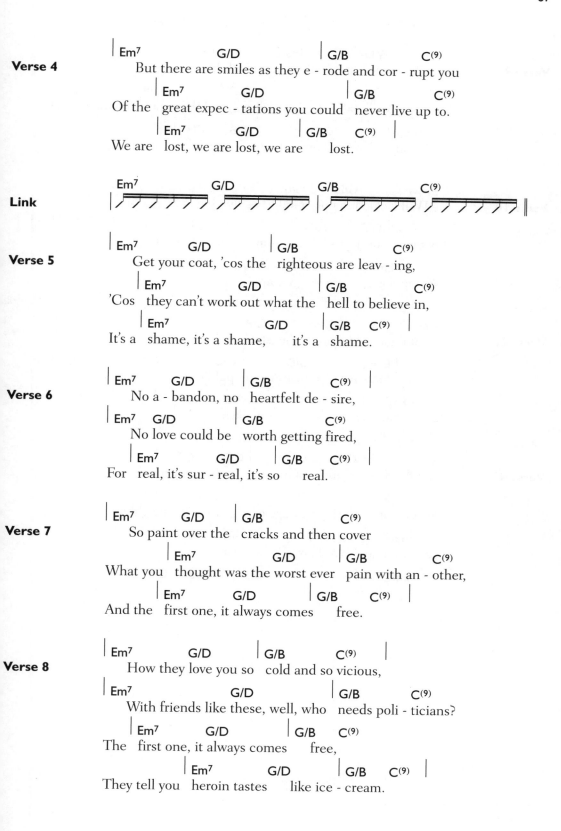

Verse 9

| Em^7 G/D | G/B C$^{(9)}$
Clever men know all that and all this,
| Em^7 G/D | G/B C$^{(9)}$
And they will talk and they will talk and they don't fucking listen,
| Em^7 G/D | G/B C$^{(9)}$ |
It's a shame, it's a shame, it's a shame.

Verse 10

| Em^7 G/D | G/B C$^{(9)}$
Well it's no life but God, it's a liv - ing
| Em^7 G/D | G/B C$^{(9)}$
Oh come on Jesus Christ, come back, all is for - given
| Em^7 G/D | G/B C$^{(9)}$ |
We are lost, we are lost, we are lost.

Verse 11

| Em^7 G/D | G/B C$^{(9)}$
And have no fear for the state of the na - tion,
| Em^7 G/D | G/B C$^{(9)}$
Let the facts have no bearing on public rela - tions
| Em^7 G/D | G/B C$^{(9)}$ |
It's a shame, it's a shame, it's a shame.

Verse 12

| Em^7 G/D | G/B C$^{(9)}$
Oh what a model of Christ - ian be - haviour,
| Em^7 G/D | G/B C$^{(9)}$
Preach on with the message of "go fuck thy neighbour"
| Em^7 G/D | G/B C$^{(9)}$
It's a shame, it's a shame, it's a shame.
| Em^7 G/D | G/B C$^{(9)}$ |
It's a shame, it's a shame…

Verse 13

| Em7 G/D | G/B C(9)
But watch your step by the crowd of fa - natics

| Em7 G/D | G/B C(9)
While they kill in the name of ap - plied mathe - matics,

| Em7 G/D | G/B C(9)
And you hate the system even though you in - vented it

| Em7 G/D | G/B C(9) |
And go kill your brothers and claim self de - fence of it,

| Em7 G/D | G/B C(9) |
Picking up all the secrets and the tricks to being

| Em7 G/D | G/B C(9)
One of the guys whom the shit never sticks to

| Em7 G/D | G/B C(9)
You can take your seats for the final ca - lamity

| Em7 G/D | G/B C(9) |
Don't you look so serious, hell, what can the matter be?

| Em7 G/D | G/B C(9)
Another day and the rot's getting faster

| Em7 G/D | G/B C(9)
While all the ma - chines started killing their master

| Em7 G/D | G/B C(9)
It's a shame, it's a shame, it's a shame.

| Em7 G/D | G/B
It's a shame, it's a shame, it's a shame.

C(9) | Em7 G/D
It's a shame, it's a shame,

| G/B C(9) |
It's a shame, it's a...

| Em7 G/D | G/B C(9) ||
It's a shame, it's a shame, it's a shame, it's a...

Outro

Em7 G/D G/B C(9) *Fade out*

|: / / / / / / / / / / / / | / / / / / / / / / / / / :|

SUNNYROAD

Words and Music by Emiliana Torrini and Daniel de Mussenden Carey

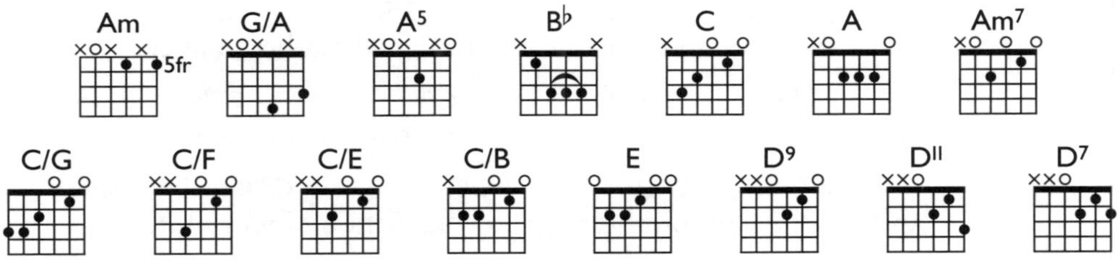

♩ = 80

Intro

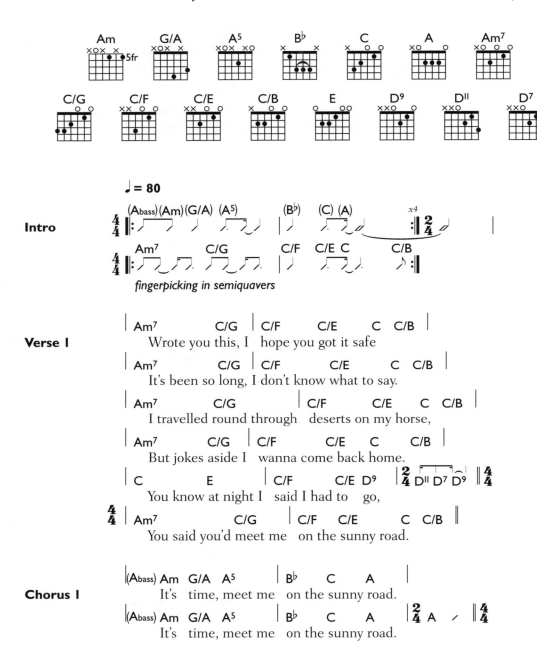

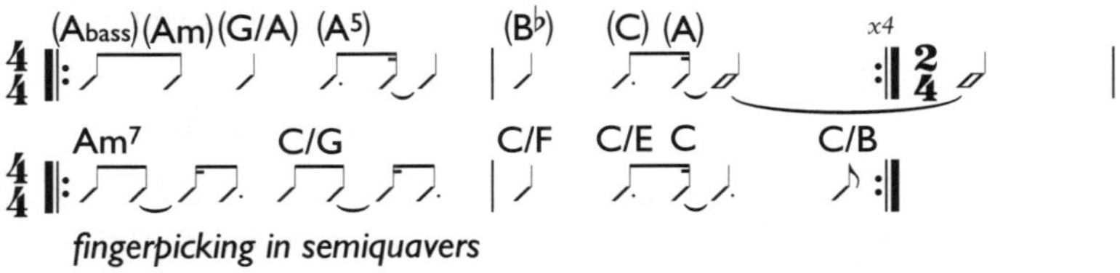

Verse 1

| Am7 C/G | C/F C/E C C/B |
Wrote you this, I hope you got it safe

| Am7 C/G | C/F C/E C C/B |
It's been so long, I don't know what to say.

| Am7 C/G | C/F C/E C C/B |
I travelled round through deserts on my horse,

| Am7 C/G | C/F C/E C C/B |
But jokes aside I wanna come back home.

| C E | C/F C/E D9 | 2/4 D11 D7 D9 || 4/4
You know at night I said I had to go,

4/4 | Am7 C/G | C/F C/E C C/B ||
You said you'd meet me on the sunny road.

Chorus 1

| (Abass) Am G/A A5 | B♭ C A |
It's time, meet me on the sunny road.

| (Abass) Am G/A A5 | B♭ C A | 2/4 A / || 4/4
It's time, meet me on the sunny road.

```
        Am7   C/G       C/F C/E C  C/B
Link    4/4 | /  /  /  / | /  /  /  / ||

        | Am7   C/G    | C/F   C/E       C   C/B |
Verse 2   I never married,  never had those kids,
        | Am7          C/G      | C/F      C/E      C    C/B |
            I loved too many, now  Heaven's closed it's gates.
        | Am7          C/G | C/F      C/E     C   C/B |
            I know I'm bad to  jump on you like this,
        | Am7                   C/G    | C/F    C/E        C   C/B |
            Some things don't change, my  middle name's still 'Risk'.
        | C        E           | C/F     C/E       D9 | 2/4 D11 D7 D9 | 4/4
            I know that night's a  long, long time ago,
    4/4 | Am7          C/G     | C/F   C/E   C    C/B |
          Will you still meet me  on the sunny road?
```

Chorus 2 *As Chorus 1*

```
        Am7   C/G       C/F C/E C  C/B
Link    4/4 | /  /  /  / | /  /  /  / ||
                                  Well,

        | Am7     C/G | C/F     C/E      C   C/B |
Verse 3     This is it, I'm  running out of space
        | Am7            C/G      | C/F          C/E  C   C/B |
            And here's my address, and  number just in case.
        | C            E          | C/F              C/E D9 | 2/4 D11 D7 D9 | 4/4
            This time, as one, we'll  find which way to  go
    4/4 | Am7               C/G     | C/F   C/E   C   ||
            Now come and meet me  on the sunny road.
```

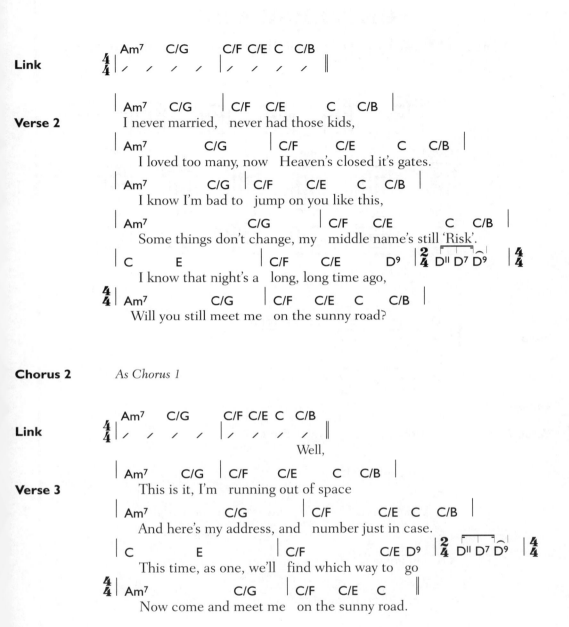

UNIVERSE AND U

Words and Music by Katie Tunstall, Hadrian Garrard and Frederik Ball

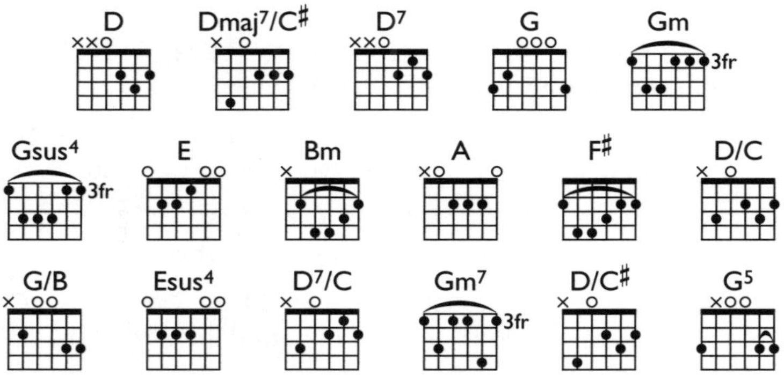

♩ = 63

Intro

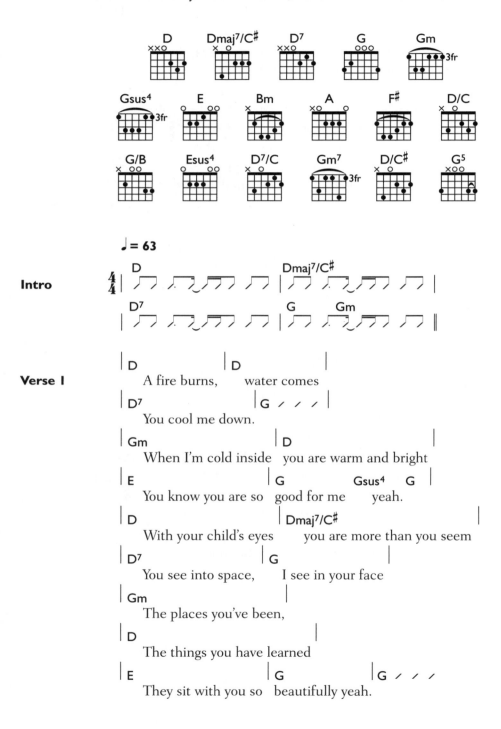

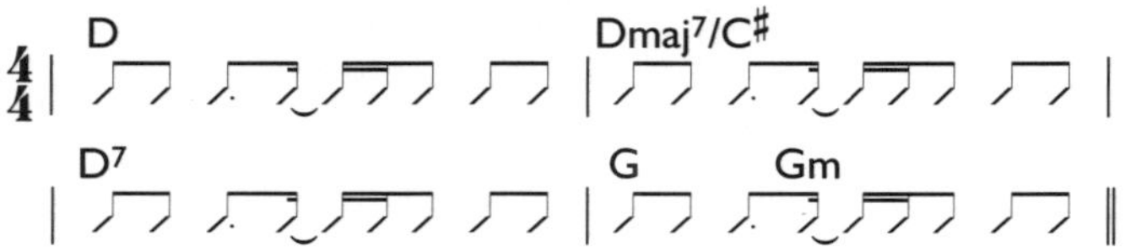

Verse 1

| D A fire burns, | D water comes |

| D7 You cool me down. | G / / / |

| Gm When I'm cold inside | D you are warm and bright |

| E You know you are so | G good for me Gsus4 yeah. G |

| D With your child's eyes | Dmaj7/C♯ you are more than you seem |

| D7 You see into space, | G I see in your face |

| Gm The places you've been, |

| D The things you have learned |

| E They sit with you so | G beautifully yeah. | G / / /

horus 1

‖ Bm / / / / / / / / | A |
And you know there's no need to hide a - way, you know I tell
| G | D | Bm |
The truth. We are just the same. I can feel everything
| A | F♯ | G
You do. Hear everything you say, even when you're miles away
| Gm *tacet* |
'Cos I am me the Universe and
D Dmaj7/C♯ D/C G/B
| | | | ‖
You.

ridge

| Gm |
And just like stars burning bright
| D |
Making holes in the night
| E Esus4 E | G ‖
We are building bridges.

horus 2

| Bm / / / / / / / / | A |
You know there's no need to hide a - way, you know I tell
| G | D | Bm |
The truth. We are just the same. I can feel everything
| A | F♯ | G
You do. Hear everything you say, even when you're miles away
| Gm *tacet* | Bm | A / / / | G / / / | D / / / ‖
'Cos I am me the Universe and you.

utro

| Bm | A |
When you're on your own I'll send you a sign
| F♯ | G
Just so you know
| Gm *tacet* | D |
That I am me the Universe and you,
| Dmaj7/C♯ | D7/C | G | Gm7 / / / |
The Universe and you, the Universe and you,
| D D/C♯ Bm A | G *free time* | D ‖
I am the Universe and you.

VOLCANO

Words and Music by Damien Rice

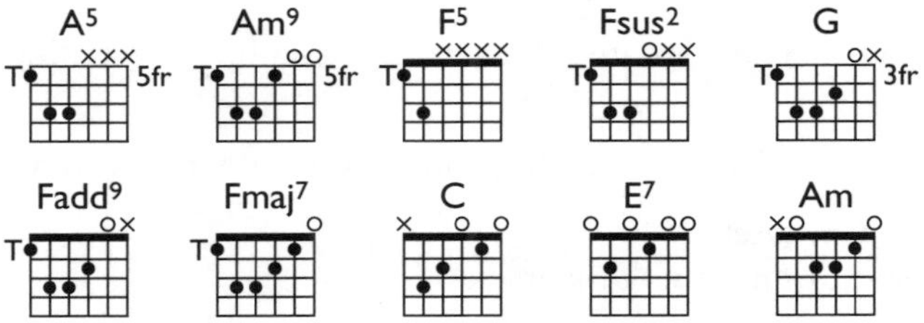

Intro

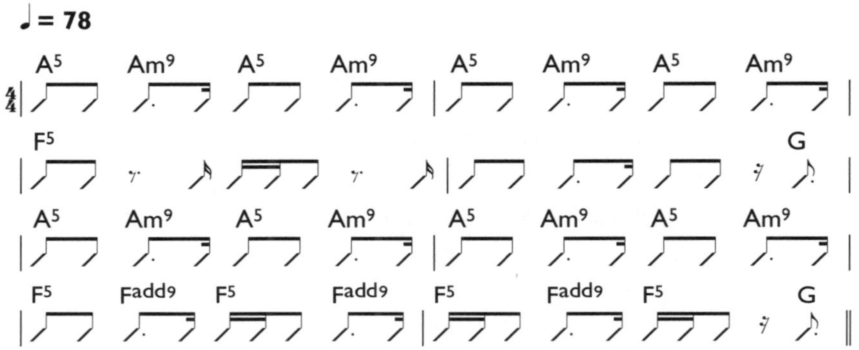

Verse 1

| A5 | A5 G |
Don't hold your - self like that,
| F5 | Fadd9 F |
'Cos you'll hurt your knees.
| A5 | A5 G |
I kissed your mouth and back,
| F5 | Fmaj7 |
That's all I need.

Pre-chorus 1

| G | Fadd9 |
Don't build your world around,
| G | Fadd9
Volcanoes melt you down.

Chorus 1

N.C. G ‖ Am9
And what I am to you
| Fmaj7
Is not real,
G | Am9
What I am to you,
G | Fmaj7
You do not need.
G | Am9
What I am to you,
G | Fmaj7
Is not what you mean to me,
G | Am9
But you give me miles and miles of mountains,
| Fmaj7 N.C. ‖ Am9 | Am9 G |
And I'll ask for the sea.

Link

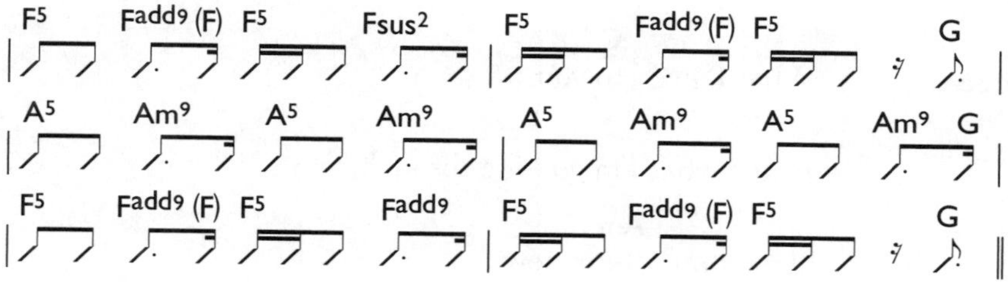

Verse 2
(Female)

| A5 | A5 G |
Don't throw your - self like that
| F5 | F5 G |
In front of me.___
| A5 | A5 G |
I kissed your mouth, your back,
| F5 | Fadd9 |
Is that all you need?

Pre-chorus 2

| G | Fadd9 |
Don't drag my love around, and
| G | Fadd9
Volcanoes melt me down.

Chorus 2
(both)

N.C. G ‖ Am⁹
And what I am to you
| Fmaj⁷
Is not real,
G | Am⁹
What I am to you,
G | Fmaj⁷
You do not need.
G | Am⁹
What I am to you,
G | Fmaj⁷
Is not what you mean to me,
G | Am⁹
But you give me miles and miles of mountains,
| Fmaj⁷
And I'll ask…

Bridge
(Male)

| C
What I give to you
| E⁷
Is just what I'm go - ing through,
| Am
This is no - thing new,
| Fmaj⁷ | C
No, no, just an - other phase I'm finding what I really need,
| E⁷
Is what makes me bleed,
| Am | Fmaj⁷ ‖
But like a new disease, but Lord she's still too young to treat.______

What I

Outro

𝄆 A⁵ | A⁵ |
—— She's still too young, she's still too young,
am to you is not real.___ What I
Vol - ca - noes melt you down.

| F⁵ | F⁵ 𝄇
—— She's still too young, she's still too young,
am to you, you do not need.___ What I
Vol - ca - noes melt you down.

𝄆 Am⁹ | Am⁹ |
—— She's still too young, she's still too young,
am to you, is not real.___ What I
Vol - ca - noes melt you down.

| Fmaj⁷ | Fmaj⁷ 𝄇
—— She's still too young, she's still too young,
am to you you do not need.___ What I
Vol - ca - noes melt you down.

| A⁵ | A⁵ |
—— She's still too young, she's still too young,
am to you is not real.___ What I
Vol - ca - noes melt you down.

| F⁵ | F⁵ |
—— She's still too young, she's still too young,
am to you, you do not need.___ And what I
Vol - ca - noes melt you down.

| A⁵ | A⁵ |
—— She's still too young, she's still too young,
am to you is not real.___ And what I
Vol - ca - noes melt you down.

| F⁵ | N.C. |
—— She's still too young, she's still too young, you do not
am to you is not real.___ What I
Vol - ca - noes melt you down.

| F⁵ ‖
need me.

WANT

Words and Music by Rufus Wainwright

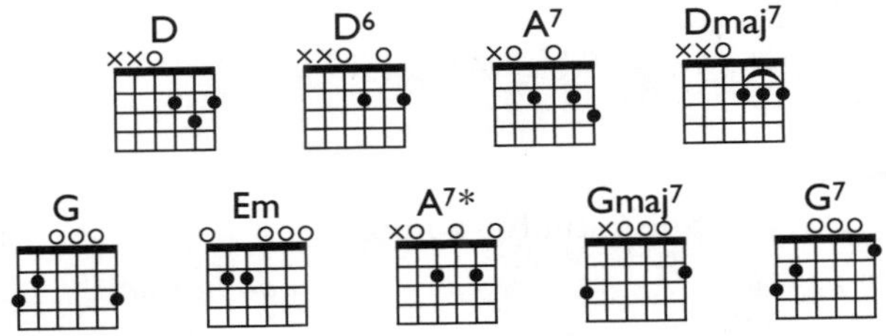

♩ = 56

Intro

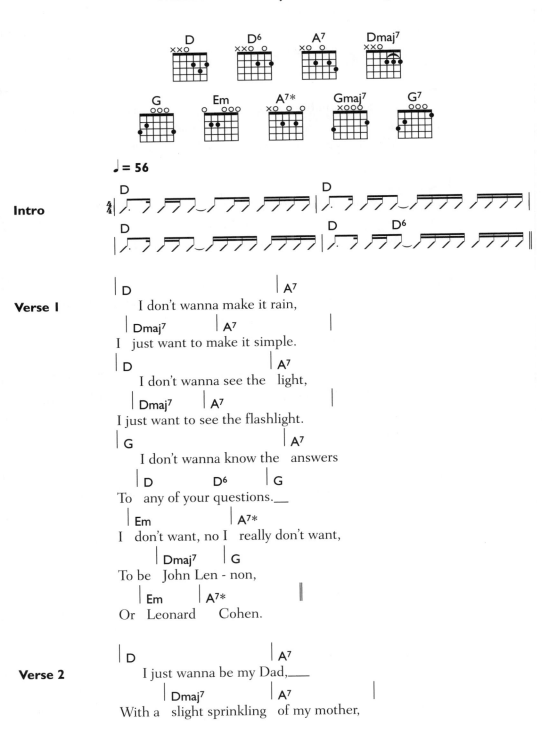

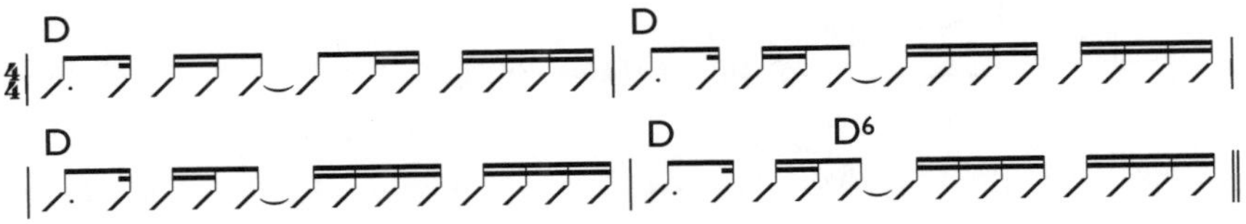

Verse 1

| D | A7
I don't wanna make it rain,
| Dmaj7 | A7 |
I just want to make it simple.
| D | A7
I don't wanna see the light,
| Dmaj7 | A7 |
I just want to see the flashlight.
| G | A7
I don't wanna know the answers
| D D6 | G
To any of your questions.__
| Em | A7*
I don't want, no I really don't want,
| Dmaj7 | G
To be John Len - non,
| Em | A7* ||
Or Leonard Cohen.

Verse 2

| D | A7
I just wanna be my Dad,__
| Dmaj7 | A7 |
With a slight sprinkling of my mother,

cont.

| D | A^7
And work at the family store
| Dmaj^7 | A^7 |
And take orders from the counter.
| G | A^7*
I don't wanna know the answers
| D D^6 | G
To any of your ques - tions.
| Em | A^7*
I don't want, no I really don't want,
| Dmaj^7 | G
To be John Lith - gow,
| Em | A^7*
Or Jane Curtin.
N.C. | D | G
But I'll settle for love
| D | G ||
Yeah, I'll settle for love.

Link

G Gmaj^7 Gmaj^7

Verse 3

| D | A^7
Before I reach the gate
| Dmaj^7 | A^7 |
I real - ised I packed my passport.
| D | A^7 | Dmaj^7 | A^7 |
Before security___ I real - ised I had one more bag left.
| G | A^7* | Dmaj^7 | G |
I just wanna know something's coming for to get me,___
| Em | A^7* | A^7* | G^7 |
Tell me, will you make me sad, or happy?
| G^7 | D | G
And will you settle for love?
| D | G |
Will you settle for love?

Outro

| G | G | G (fermata) ||

WINTER IN THE HAMPTONS

Words and Music by Daniel Tashian and Joshua Rouse

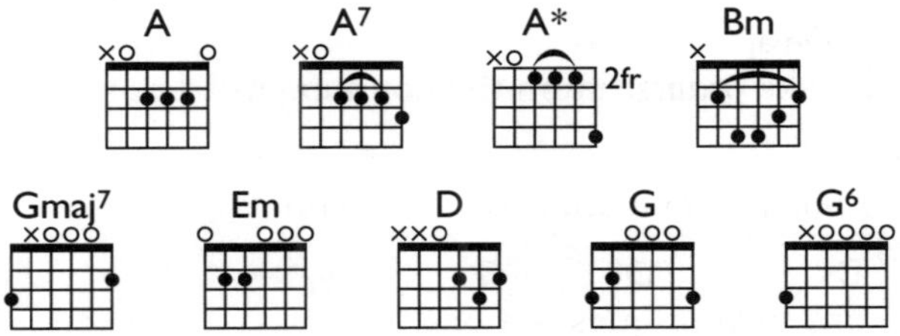

♩= 136

Intro

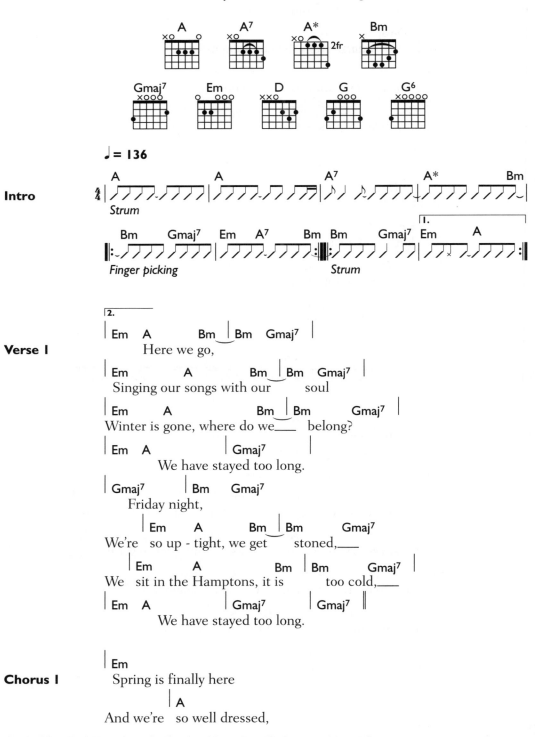

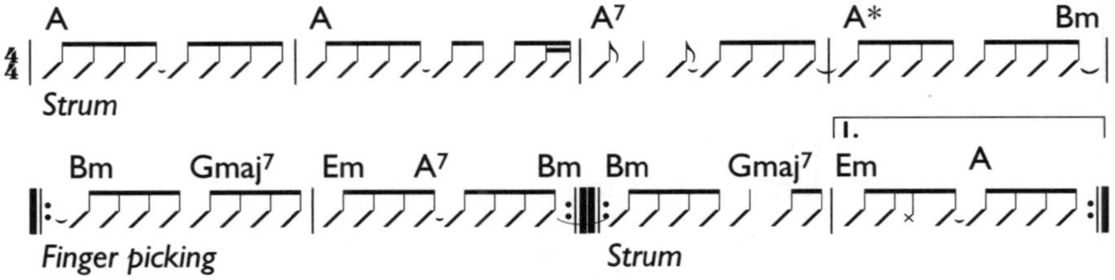

2.

Verse 1

```
| Em   A          Bm | Bm   Gmaj7 |
       Here we go,

| Em          A          Bm | Bm   Gmaj7 |
  Singing our songs with our     soul

| Em      A              Bm | Bm        Gmaj7 |
Winter is gone, where do we___  belong?

| Em   A          | Gmaj7        |
       We have stayed too long.

| Gmaj7       | Bm    Gmaj7
     Friday night,

     | Em     A         Bm | Bm       Gmaj7
We're  so up - tight, we get   stoned,___

   | Em      A            Bm | Bm       Gmaj7 |
We   sit in the Hamptons, it is   too cold,___

| Em   A          | Gmaj7         | Gmaj7 ||
       We have stayed too long.
```

Chorus 1

```
| Em
  Spring is finally here

            | A
And we're   so well dressed,
```

cont.

| D | G
It's our talent, and it's our style,
| Em | A | A | A | A ||
So put on your hat because the forecast is rain clouds.

Link

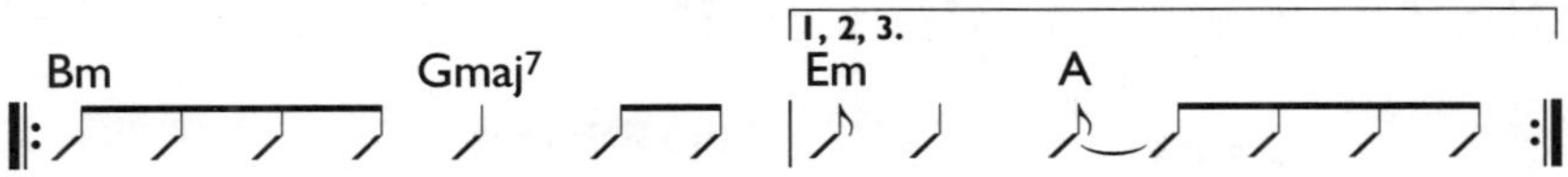

Verse 2

2.
| Em A Bm | Bm Gmaj7
You never know,
| Em A Bm | Bm Gmaj7
A - mericans seem such a bore,
| Em A Bm | Bm Gmaj7 |
Em - barrassed and still we are hang - ing on,
| Em A | Gmaj7 |
We have stayed too long.
| Gmaj7 | Bm Gmaj7
And we'll fly,
| Em A Bm | Bm Gmaj7
Take a trip, see the Euro sights,
| Em A Bm | Bm Gmaj7 |
Our money is gone, where do we belong?
| Em A | Gmaj7 | Gmaj7 ||
We have stayed too long.

Chorus 2

| Em
Sick of living here,
| A
We're such a mess,
| D | G
Does the government bear our lives?
| Em | A | A | A | A (Bm) |
So put on your hat because the forecast is rain clouds.

Outro

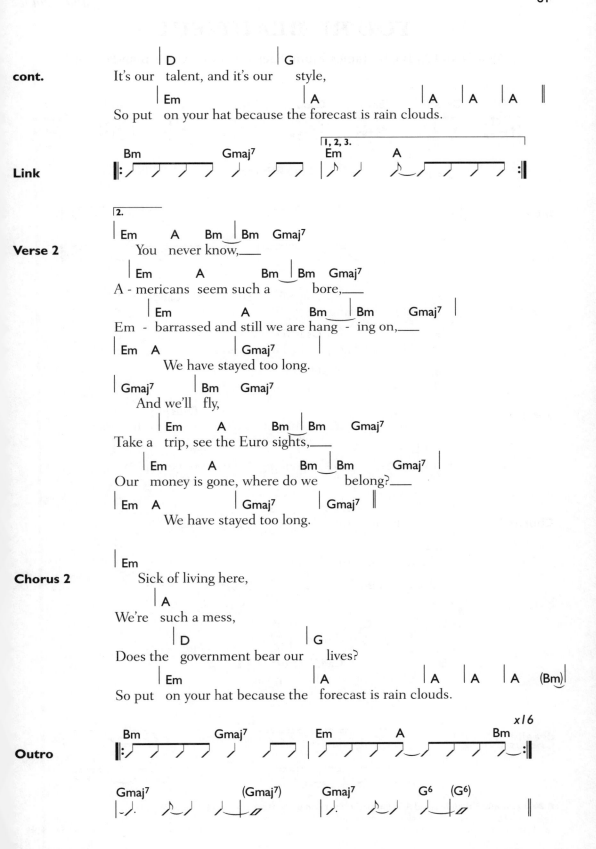

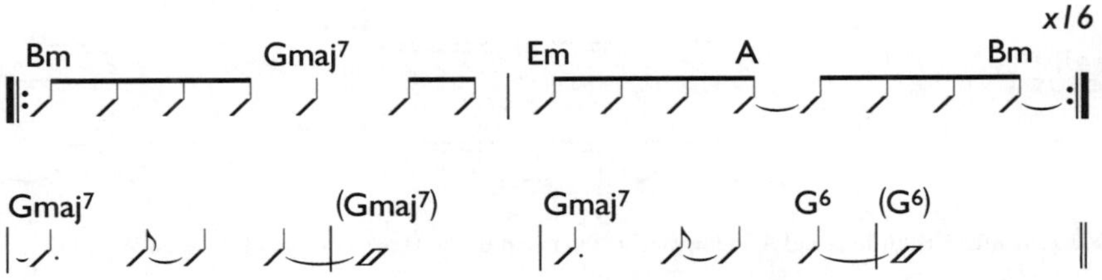

YOU'RE BEAUTIFUL

Words and Music by James Blunt, Sacha Skarbek and Amanda Ghost

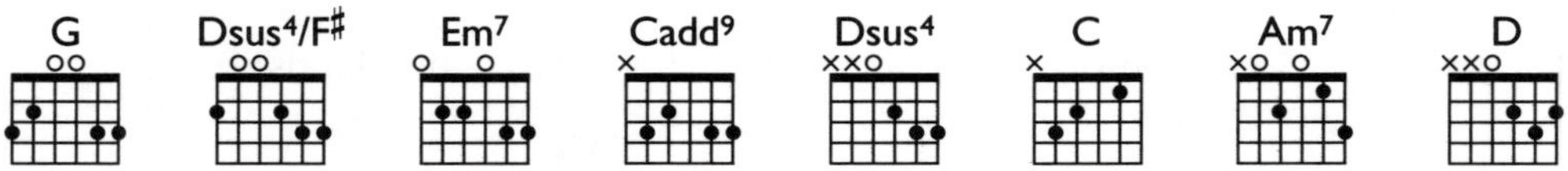

♩ = 83 **Capo 8th fret**

Intro

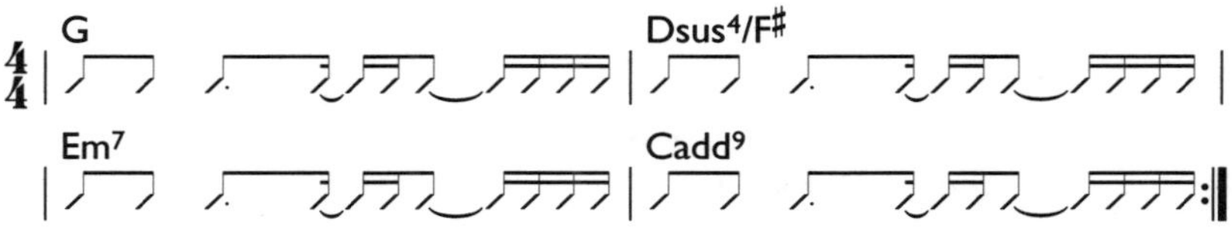

Verse 1

| G | Dsus4/F# | Em7 | Cadd9 |
My life is brilliant.

| G | Dsus4/F# |
My life is brilliant, my love is pure.

| Em7 | Cadd9
I saw an angel, of that I'm sure.

| G | Dsus4/F#
She smiled at me on the subway, she was with another man.

| Em7 | Em7 ||
But I won't lose no sleep all night, 'cos I've got a plan.

Chorus 1

| Cadd9 Dsus4 | G |
You're beauti - ful, you're beautiful,

| Cadd9 Dsus4 | G
You're beauti - ful it's true.

| Cadd9 Dsus4 | 2/4 G Dsus4/F# |
I saw your face, in a crowd - ed place,

4/4 | Em7 | Cadd9 Dsus4 |
And I don't know what to do,

| Em7 | Cadd9 Dsus4 ||
'Cos I'll ne - ver be with you.

Break

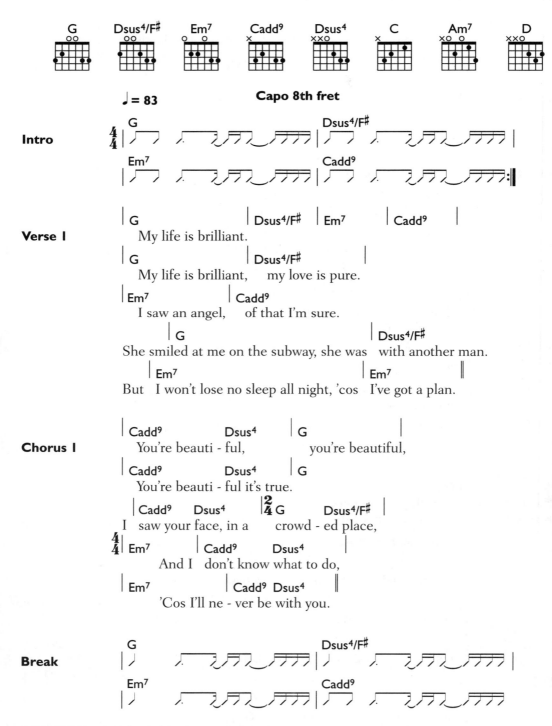

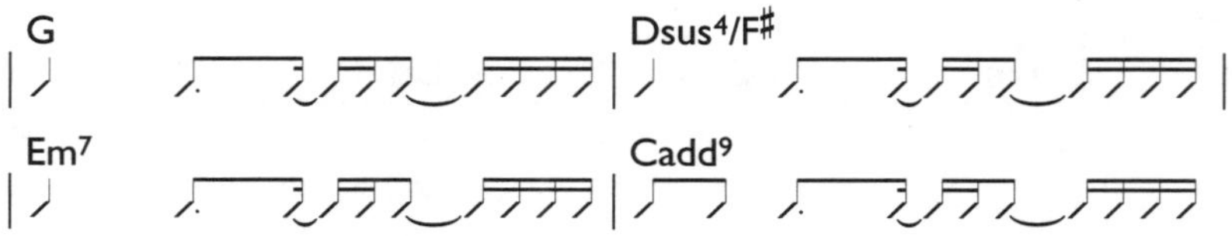

Verse 2

‖ G | Dsus4/F#
Yes she caught my eye, as I walked on by.

| Em7 | Cadd9
She could see from my face that I was fucking high.

| G | Dsus4/F# |
And I don't think that I'll see her again but

| Em7 | Em7 ‖
We shared a moment that will last 'til the end.

Chorus 2

| Cadd9 Dsus4 | G |
You're beauti - ful, you're beautiful,

| Cadd9 Dsus4 | G
You're beauti - ful it's true.

| Cadd9 Dsus4 | 2/4 G Dsus4/F# |
I saw your face, in a crowd - ed place,

4/4 | Em7 | Cadd9 Dsus4 |
And I don't know what to do,

| Em7 | Cadd9 Dsus4 | G ‖
'Cos I'll ne - ver be with you.

Middle

| Cadd9 Em7 |
La, la, la, la.

| Cadd9 Em7 |
La, la, la, la.

| Cadd9 Em7 | Am7 D ‖
La, la, la, la.

Chorus 2

| Cadd9 Dsus4 | G |
You're beauti - ful, you're beautiful,

| Cadd9 Dsus4 | G
You're beauti - ful it's true.

| Cadd9 Dsus4/F# | 2/4 G Dsus4/F# |
There must be an angel, with a smile on her face,

4/4 | Em7 | Cadd9 Dsus4 | 2/4 G Dsus4/F# |
When she thought up I should be with you,

4/4 | Em7 | Em7 | Cadd9 Dsus4/F# | Em7 | Cadd9 Dsus4 | G (fermata) ‖
But it's time to face the truth, I will never be with you.

WHY DO LOVERS?

Words and Music by Richard Ashcroft

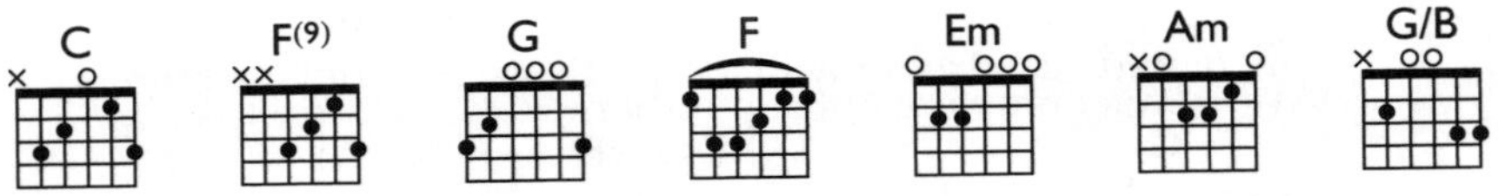

♩. = 116

Intro

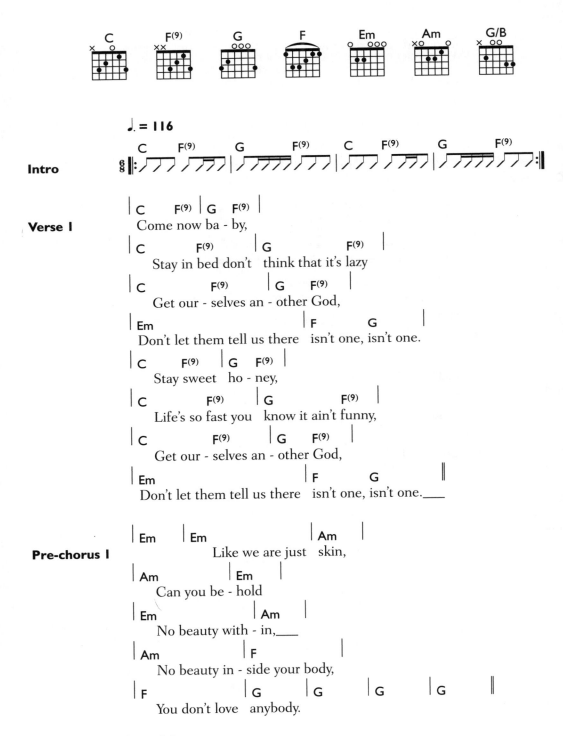

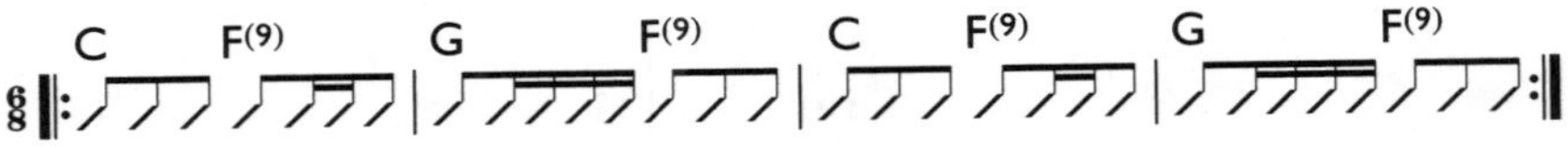

Verse 1

| C F(9) | G F(9) |
Come now ba - by,
| C F(9) | G F(9) |
Stay in bed don't think that it's lazy
| C F(9) | G F(9) |
Get our - selves an - other God,
| Em | F G |
Don't let them tell us there isn't one, isn't one.
| C F(9) | G F(9) |
Stay sweet ho - ney,
| C F(9) | G F(9) |
Life's so fast you know it ain't funny,
| C F(9) | G F(9) |
Get our - selves an - other God,
| Em | F G ||
Don't let them tell us there isn't one, isn't one.___

Pre-chorus 1

| Em | Em | Am |
Like we are just skin,
| Am | Em |
Can you be - hold
| Em | Am |
No beauty with - in,___
| Am | F |
No beauty in - side your body,
| F | G | G | G | G ||
You don't love anybody.

Chorus 1

| C | G/B | F | G | C
Why do lovers choose others?
| G/B | F
We circle, entwine one an - other,
| G | C
In that mask that we wear with each other,
| G/B | F
Oh my God how I looked in that mirror,
| G | C
I looked at her hollow picture.
| G/B | F | G ||
It was something I could frame.____

Link 1

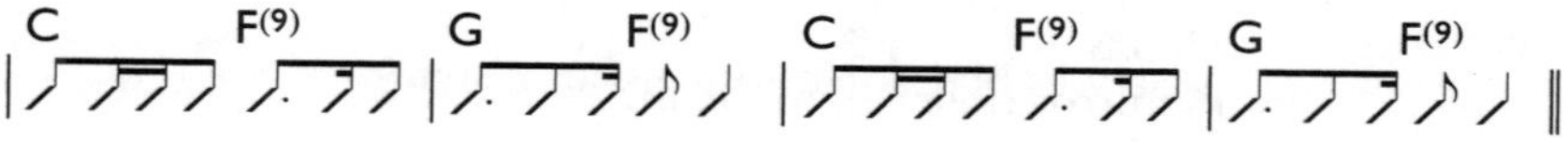

Verse 2

| C F(9) | G F(9) |
That's right Sweet - heart,
| C F(9) | G F(9) |
Life is tough now, life can be hard,
| C F(9) | G F(9) |
Don't blame me for these pressures in life,
| Em | F G |
Don't blame me for this sacrifice, sacrifice.
| C F(9) | G F(9) |
O - K Sweet - heart,
| C F(9) | G F(9) |
Take your time, I know lovers they part
| C F(9) | G F(9)
Time slows when you're in love,
| Em | F G ||
And time moves so fast when it's getting on, getting on.

Pre-chorus 2

```
| Em   | Em                 | Am      |
          'Cos we are just   skin,
| Am            | Em    |
   Can you be - hold
| Em                   | Am     |
   I've no beauty with - in,
| Am               | F                 |
   No beauty in - side my body,
| F              | G        | G        | G        | G        ||
   I don't love    anybody.________
```

Chorus 2

```
| C      | G/B      | F        | G            | C
 Why       do         lovers       choose   others?
    | G/B          | F          | G
To   mirror their   pain? Yeah.
              | C
Slow down   stranger,
     | G/B                      | F
You   know that you are in   danger,
       | G                         | C       |
These   demons I've got they're a manger
| G/B                  | F      | G      | F      |
  Ready for you to   lay.______     Oh,
| G     | F      | G      | F      | G
     Oh,              oh,
     | F     | G     | C     ||
Oh.
```

A superb collection of songs from some of the greatest contemporary singer-songwriters. Transcribed for piano and voice, with guitar chord boxes.

PianoVocalGuitar

The Singer Songwriter Contemporary Collection

Twenty two songs from the finest singer-songwriters, transcribed for piano and voice with guitar chord boxes. Featuring James Blunt, Kate Bush, Sufjan Stevens and Rufus Wainwright.

Daniel Powter
Damien Rice
Madeleine Peyroux
Sufjan Stevens
Ryan Adams feat. Norah Jones
Martha Wainwright
Alicia Keys
James Blunt
Kate Bush
Corinne Bailey Rae
Dido
John Legend
Jamie Cullum
Fiona Apple
Ed Harcourt
Badly Drawn Boy
Aqualung
Norah Jones
Damien Rice & Lisa Hannigan
Rufus Wainwright

FABER MUSIC

FABER MUSIC